OS CONTOS
DE BELAZARTE

CONHEÇA NOSSO LIVROS
ACESSANDO AQUI!

Copyright desta tradução © IBC - Instituto Brasileiro De Cultura, 2023

Reservados todos os direitos desta produção, pela lei 9.610 de 19.2.1998.

1ª Impressão 2023

Presidente: Paulo Roberto Houch
MTB 0083982/SP

Coordenação Editorial: Priscilla Sipans
Coordenação de Arte: Rubens Martim
Produção Editorial: Eliana S. Nogueira
Revisão: Mariângela Belo da Paixão

Vendas: Tel.: (11) 3393-7727 (comercial2@editoraonline.com.br)

Foi feito o depósito legal.
Impresso na China

Dados Internacionais de Catalogação na Publicação (CIP) de acordo com ISBD	
A553c	Andrade, Mário de
	Os Contos de Belazarte / Mário de Andrade. - Barueri : Itatiaia, 2023. 96 p. ; 15,1cm x 23cm.
	ISBN: 978-65-5470-017-7
	1. Literatura brasileira. I. Título.
2023-1588	CDD 869.8992 CDU 821.134.3(81)
Elaborado por Odilio Hilario Moreira Junior - CRB-8/9949	

IBC — Instituto Brasileiro de Cultura LTDA
CNPJ 04.207.648/0001-94
Avenida Juruá, 762 — Alphaville Industrial
CEP. 06455-010 — Barueri/SP
www.editoraonline.com.br

Nota do Editor: A revisão textual das obras de Mário de Andrade deve respeitar a importância do estilo linguístico do autor para a literatura brasileira. Seu modo de escrever é absolutamente pessoal, com grafias, concordâncias e até mesmo uso de vírgulas que tornam sua escrita única e genial. Por esse motivo é importante a manutenção de sua dicção, evitando, assim, que o contexto seja prejudicado, e valorizando as obras inestimáveis deste que é considerado um dos mais importantes nomes do Modernismo Brasileiro. Deste modo, a opção do IBC (selo Itatiaia) é o ajuste às novas regras ortográficas sem alterar o estilo das obras apresentadas, garantindo, dessa maneira, a continuidade das escolhas do autor.

SUMÁRIO

I. O besouro e a Rosa (1923)..9

II. Jaburu malandro (1924)...17

III. Caim, Caim e o resto (1924)...31

IV. Menina de olho no fundo (1925)...39

V. Túmulo, túmulo, túmulo (1926)...55

VI. Piá não sofre? Sofre (1926)...67

VII. Nízia Figueira, sua criada (1925)..79

NOTA DO AUTOR
(DA SEGUNDA EDIÇÃO)

Só nesta segunda edição os contos de Belazarte aparecem reunidos em seu agrupamento legítimo.

Na primeira edição do livro, em 1934, não veio o conto "O besouro e a Rosa", publicado em 1926 pelo Autor, no seu primeiro volume de contos, *Primeiro andar*, no intuito de oferecer aos seus leitores a evolução que fizera no gênero. Em compensação, o *Belazarte* de 1934 apresentava, sob a ressalva de "intermédio", o conto "Caso em que entra bugre", escrito em 1929, já inteiramente fora do espírito dos contos de Belazarte. A sua inclusão no livro fora ditada apenas por exigências editoriais.

"O besouro e a Rosa" foi incluído nesta segunda edição, e dela retirado o "Caso em que entra bugre". Fica salvo desse jeito o espírito do livro, que agora, com as correções feitas no texto, o Autor acredita estar em sua integridade livre e definitiva.

Mário de Andrade

I

O BESOURO E A ROSA

(1923)

Belazarte me contou:

Não acredito em bicho maligno mas besouro... Não sei não. Olhe o que sucedeu com a Rosa... Dezoito anos. E não sabia que os tinha. Ninguém reparara nisso. Nem dona Carlotinha nem dona Ana, entretanto já velhuscas e solteironas, ambas quarenta e muito. Rosa viera pra companhia delas aos sete anos quando lhe morreu a mãe. Morreu ou deu a filha que é a mesma coisa que morrer. Rosa crescia. O português adorável do tipo dela se desbastava aos poucos das vaguezas físicas da infância. Dez anos, quatorze anos, quinze... Afinal dezoito em maio passado. Porém Rosa continuava com sete, pelo menos no que faz a alma da gente. Servia sempre as duas solteironas com a mesma fantasia caprichosa da antiga Rosinha. Ora limpava bem a casa, ora mal. Às vezes se esquecia do paliteiro no botar a mesa pro almoço. E no quarto afagava com a mesma ignorância de mãe de brinquedo a mesma boneca, faz quanto tempo nem sei! lhe dera dona Carlotinha no intuito de se mostrar simpática. Parece incrível, não? porém nosso mundo está cheio desses incríveis: Rosa mocetona já, era infantil e de pureza infantil. Que as purezas como as morais são muitas e diferentes... Mudam com os tempos e com a idade da gente... Não devia ser assim, porém é assim, e não temos que discutir. Mas com dezoito anos em 1923 Rosa possuía a pureza das crianças dali... pela batalha do Riachuelo mais ou menos... Isso: das crianças de 1865. Rosa... que anacronismo!

Na casinha em que moravam as três, caminho da Lapa, a mocidade dela se desenvolvera só no corpo. Também saía pouco e a cidade era pra ela a viagem que a gente faz uma vez por ano quando muito, Finados chegando. Então dona Ana e dona Carlotinha vestiam seda preta, sim senhor! Botavam um sedume preto barulhando que era um desperdício. Rosa acompanhava as patroas na cassa mais novinha levando os copos-de-leite e as avencas todas da horta. Iam no Araçá onde repousava a lembrança do capitão Fragoso Vale, pai das duas tias. Junto do mármore raso dona Carlotinha e dona Ana choravam. Rosa chorava também pra fazer companhia. Enxergava as outras chorando, imaginava que carecia chorar também, pronto! chororó... abria as torneirinhas dos olhos pretos pretos que ficavam brilhando ainda mais. Depois visitavam comentando os túmulos endomingados. Aquele cheiro... Velas derretidas, famílias bivacando, afobação encrencada pra pegar o bonde... que atordoamento meu Deus! A impressão cheia de medos era desagradável.

Essa era anualmente a viagem grande da Rosa. No mais: chegadas até a igreja da Lapa algum domingo solto e na Semana Santa. Rosa não sonhava nem matutava. Sempre tratando da horta e de dona Carlotinha. Tratando da janta e de dona Ana. Tudo com a mesma igualdade infantil que não implica desamor não. Nem era indiferença, era não imaginar as diferenças, isso sim. A gente bota dez dedos pra fazer comida, dois braços pra varrer a casa, um bocadinho de amizade pra fulano, três bocadinhos de amizade pra sicrano que é mais simpático, um olhar pra vista bonita do lado com o espigão de Nossa Senhora do Ó numa pasmaceira lá longe e de supetão, zás! bota tudo no amor que nem no campista pra ver si pega uma cartada boa. Assim é que fazemos. A Rosa não fazia. Era sempre o mesmo bocado de corpo que ela punha em todas as coisas: dedos, braços, vista e boca. Chorava com isso e com o mesmo isso tratava de dona Carlotinha. Indistinta e bem varridinha. Vazia. Uma freirinha. O mundo não existia pra... qual freira! santinha de igreja perdida nos arredores de Évora. Falo da santinha representativa que está no altar, feita de massa pintada. A outra, a representada, você bem que sabe: está lá no céu não intercedendo pela gente... Rosa si carecesse intercedia. Porém sem saber por quê. Intercedia com o mesmo pedaço de corpo dedos braços vista e boca sem mais nada. A pureza, a infantilidade, a pobreza de espírito se vidravam numa redoma que a separava da vida. Vizinhança? Só a casinha além na mesma rua sem calçamento, barro escuro, verde de capim livre. A viela era engolida num rompante pelo chinfrim civilizado da rua dos bondes. Mas já na esquina a vendinha de seu Costa impedia Rosa de entrar na rua dos bondes. E seu Costa passava dos cinquenta, viúvo sem filhos pitando num cachimbo fedido. Rosa parava ali. A venda movia toda a dinâmica alimentar da existência de dona Ana, de dona

Carlotinha e dela. E isso nas horas apressadas de manhã depois de ferver o leite que o leiteiro deixava muito cedo no portão.

    Rosa saudava as vizinhas da outra casa. De longe em longe parava um minuto conversando com a Ricardina. Porém não tinha assunto, que que havia de fazer? partia depressa. Com essas despreocupações de viver e de gostar da vida como é que podia reparar na própria mocidade! não podia. Só quem pôs reparo nisso foi o João. De primeiro ele enrolava os dois pães no papel acinzentado e atirava o embrulho na varanda. Batia pra saberem e ia-se embora tlindliirim dlim-dlrim... na carrocinha dele. Só quando a chuva era de vento esperava com o embrulho na mão.

— Bom dia.
— Bom dia.
— Que chuva.
— Um horror.
— Até amanhã.
— Até amanhã.

    Porém duma feita quando embrulhava os pães na carrocinha percebeu Rosa que voltava da venda. Esperou muito naturalmente, não era nenhum malcriado não. O sol dava de chapa no corpo que vinha vindo. Foi então que João pôs reparo na mudança da Rosa. Estava outra. Inteiramente mulher com pernas bem delineadas e dois seios agudos se contando na lisura da blusa que nem rubi de anel dentro da luva. Isto é... João não viu nada disso, estou fantasiando a história. Depois do século dezenove os contadores parece que se sentem na obrigação de esmiuçar com sem-vergonhice essas coisas. Nem aquela cor de maçã camoesa amorenada limpa... Nem aqueles olhos de esplendor solar... João reparou apenas que tinha um malestar por dentro e concluiu que o malestar vinha da Rosa. Era a Rosa que estava dando aquilo nele, não tem dúvida. Alastrou um riso perdido na cara. Foi-se embora tonto sem nem falar bom-dia direito. Mas daí em diante não jogou mais os pães no passeio. Esperava que a Rosa viesse buscá-los das mãos dele.

— Bom dia!
— Bom dia. Por que não atirou?
— É... Pode sujar.
— Até amanhã.

— Até amanhã, Rosa!

Sentia o tal de malestar e ia-se embora.

João era quase uma Rosa também. Só que tinha pai e mãe, isso ensina a gente. E talvez por causa dos vinte anos... De deveras chegar nessa idade sem contacto de mulher, porém os sonhos o atiçavam, vivia mordido de impaciências curtas. Porém fazia pão, entregava pão e dormia cedo. Domingo jogava futebol no Lapa Atlético. Quando descobriu que não podia mais viver sem a Rosa, confessou tudo pro pai.

— Pois casa, filho. É rapariga boa, não é?

— É, meu pai.

— Pois então casa! A padaria é tua mesmo... não tenho mais filhos... E si a rapariga é boa..

Nessa tarde dona Ana e dona Carlotinha recebiam a visita envergonhada do João. Que custo falar aquilo! Afinal quando elas adivinharam que aquele mocetão manco na fala, porém sereno de gestos, lhes levava a Rosa, se comoveram muito. Se comoveram porque acharam o caso muito bonito, muito comovente. E num instante repararam também que a criadinha estava uma mocetona já. Carecia se casar. Que maravilha, Rosa se casava! Havia de ter filhos! Elas seriam as madrinhas... Quase se desvirginavam no gozo de serem mãe dos filhos da Rosinha. Se sentiam até abraçadas apertadas e, cruz credo! faziam cada pecadão na inconsciência.

— Rosa!

— Senhora?

— Venha cá!

— Já vou, sim senhora!

Ainda não sabiam si o João era bom, mas parecia.

E queriam gozar o encafifamento de Rosa e do moço, que maravilha! Apertados nos batentes da porta relumearam dezoito anos fresquinhos.

— Rosa, olhe aqui. O moço veio pedir você em casamento.

— Pedir o quê?...

— O moço diz que quer casar com você.

Rosa fizera da boca uma roda vermelha. Os dentes regulares muito brancos. Não se envergonhou. Não abaixou os olhos. Rosa principiou a chorar. Fugiu pra dentro soluçando. Dona Carlotinha foi encontrar ela sentada na tripeça junto do fogão. Chorava gritadinho, soluçava angulando os ombros desamparada.

— Rosa, que é isso! Então é assim que se faz!? Si você não quer, fale!

— Não! Dona Carlotinha, não! Como é que vai ser! Eu não quero largar da senhora!...

Dona Carlotinha ponderou, gozou, aconselhou... Rosa não sabia pra onde ir si casasse, só sabia tratar de dona Carlotinha... Rosa pôs-se a chorar alto. Careceu tapar a boca dela, salvo seja! pra que o moço não escutasse, coitado! Afinal dona Ana veio saber o que sucedia, morta de curiosidade.

João ficou sozinho na sala, não sabia o que tinha acontecido lá dentro, mas porém adivinhando que lhe parecia que a Rosa não gostava dele. Agora sim, estava mesmo atordoado. Ficou com vergonha da sala, de estar sozinho, não sei, foi pegando no chapéu e saindo num passo de boi de carro.

Arredondava os olhos espantado. Agora percebia que gostava mesmo da Rosa... A tábua dera uma dor nele, o pobre...

Foi tarde de silêncio na casa dele. O pai praguejou, ofendeu a menina. Depois percebendo que aquilo fazia mal pro filho se calou.

No dia seguinte João atirou o pão no passeio e foi-se embora. Lhe dava de sopetão uma coisa esquisita por dentro, vinha lá de baixo do corpo apertando quase sufocava e a imagem da Rosa saía pelos olhos dele trelendo com a vida indiferente da rua e da entrega do pão. Graças a Deus que chegou em casa! Mas era muito sem letras nem cidade pra cultivar a tristeza. E Rosa não aparecia pra cultivar o desejo... No domingo ele foi um zagueiro estupendo. Por causa dele o Lapa Atlético venceu. Venceu porque derrepentemente ela aparecia no corpo dele e lhe dava aquela vontade, isto é, duas vontades: a... já sabida e outra, de esquecimento e continuar dominando a vida... Então ele via a bola, adivinhava pra que lado ela ia, se atirava, que lhe incomodava agora de levar pé na cara! quebrar a espinha! arrebentasse tudo! morresse! porém a bola não havia de entrar no gol. João naturalmente pensava que era por causa da bola.

Rosa quando viu que não deixava mesmo dona Ana e dona Carlotinha teve um alegrão. Cantou. Agora é que o besouro entra em cena... Rosa sentiu uma calma grande. E não pensou mais no João.

— Você se esqueceu do paliteiro outra vez!

— Dona Ana, me desculpe!

Continuou limpando a casa, ora bem ora mal. Continuou ninando a boneca de louça. Continuou.

Essa noite muito quente quis dormir com a janela aberta. Rolava satisfeita o corpo nu dentro da camisola, e depois dormiu. Um besouro entrou. Zzz, zzz, zzzuuuuummmm, pá. Rosa dormida estremeceu à sensação daquelas pernas metálicas no colo. Abriu os olhos na escuridão.

O besouro passeava lentamente. Encontrou o orifício da camisola e avançava pelo vale ardente entre morros. Rosa imaginou uma mordida horrível no peito, sentou-se num pulo, comprimindo o colo. Com o movimento o besouro se despegara da epiderme lisa e tombara na barriga dela, zzz, tzzz... tz. Rosa soltou um grito agudíssimo. Caiu na cama se estorcendo. O bicho continuava descendo, tzz... Afinal se emaranhou tzz-tzz, estava preso. Rosa estirava as pernas com endurecimentos de ataque. Rolava. Caiu.

Dona Ana e dona Carlotinha vieram encontrá-la assim espasmódica com a espuma escorrendo do canto da boca. Olhos esgazeados relampejando que nem brasa. Mas como saber o que era! Rosa não falava se contorcendo. Porém dona Ana orientada pelo gesto que a pobre repetia descobriu o bicho. Arrancou-o com aspereza, aspereza pra livrar depressa a moça. E foi uma dificuldade acalmá-la... Ia sossegando sossegando... de repente voltava tudo e era tal e qual ataque, atirava as cobertas rosnava, se contorcendo, olhos revirados, uhm... Terror sem fundamento, bem se vê. Nova trabalheira. Lavaram ela, dona Carlotinha se deu ao trabalho de acender fogo pra ter água morna que sossega mais, dizem. Trocaram a camisola, muita água com açúcar...

— Também porque você deixou janela aberta, Rosa...

Só umas duas horas depois tudo dormia na casa outra vez. Tudo não. Dois olhos fixando na treva atentos a qualquer ressaibo perdido de luz e aos vultos silenciosos da escuridão. Rosa não dorme toda a noite. Afinal escuta os ruídos da casa acordando. Dona Ana vem saber. Rosa finge dormir desarrazoadamente enraivecida. Tem um ódio daquela coroca! Tem nojo de dona Carlotinha... Ouve o estalo da lenha no fogo. Escuta o barulho do pão atirado contra a porta do passeio. Rosa esfrega os dedos fortemente pelo corpo. Se espreguiça. Afinal levantou.

Agora caminha mais pausado. Traz uma seriedade nunca vista ainda na comissura dos lábios. Que negrores nas pálpebras! Pensa que vai trabalhar e trabalha. Limpa com dever a casa toda, botando dez dedos pra fazer a comida, botando dois braços pra varrer, botando os olhos na mesa pra não esquecer o paliteiro. Dona Carlotinha se resfriou. Pois Rosa lhe dá uma porção de amizade. Prepara chás pra ela. Senta na cabeceira da cama velando muito sem falar. As duas velhas olham pra ela ressabiadas. Não a reconhecem mais e têm medo da estranha. Com efeito Rosa mudou. É outra Rosa. É uma rosa aberta. Imperativa enérgica. Se impõe. Dona Carlotinha tem medo de lhe perguntar si passou bem a noite. Dona Ana tem medo de lhe aconselhar que descanse mais. É sábado porém podia lavar a casa na segunda-feira... Rosa lava toda a casa como nunca lavou. Faz uma limpeza completa no próprio quarto. A boneca... Rosa lhe desgruda os últimos crespos da cabeça, gesto frio. Afunda um olho dela portuguesmente à Camões. Porém pensa que dona Carlotinha vai sentir. A gente nunca deve dar desgostos inúteis aos outros, a vida é já tão cheia deles!... pensa. Suspira. Esconde a boneca no fundo da canastra.

Quando foi dormir teve um pavor repentino: dormir só!... E si ficar solteira! O pensamento salta na cabeça dela assim, sem razão. Rosa tem um medo doloroso de ficar solteira. Um medo impaciente, sobretudo impaciente de ficar solteira. Isso é medonho! É UMA VERGONHA!

Se vê bem que nunca tinha sofrido, a coitada! Toda a noite não dormiu. Não sei a que horas a cama se tornou insuportavelmente solitária pra ela. Se ergue. Escancara a janela, entra com o peito na noite, desesperadamente temerária. Rosa espera o besouro. Não tem besouros essa noite. Ficou se cansando naquela posição, à espera. Não sabia o que estava esperando. Nós é que sabemos, não? Porém o besouro não vinha mesmo. Era uma noite quente... A vida latejava num ardor de estrelas pipocantes imóvel. Um silêncio!... O sono de todos os homens dormindo indiferentes sem se amolar com ela... O cheiro de campo requeimado endurecia o ar que parara de circular, não entrava no peito! Não tinha mesmo nada na noite vazia. Rosa espera mais um poucadinho. Desiludida se deita depois. Adormece agitada. Sonha misturas impossíveis. Sonha que acabaram todos os besouros desse mundo e que um grupo de moças caçoa dela zumbindo: Solteira! às gargalhadas. Chora em sonho.

No outro dia dona Ana pensa que carece passear a moça.

Vão à missa. Rosa segue na frente e vai namorar todos os homens que encontra. Tem de prender um. Qualquer. Tem de prender um pra não ficar solteira. Na venda de seu Costa, Pedro Mulatão já veio beber a primeira pinga do dia. Rosa, tira uma linha pra ele que mais parece de mulher da vida. Pedro Mulatão sente um desejo fácil daquele corpo, segue atrás. Rosa sabe disso. Quem é homem? Isso não sabe. Nem que soubesse do vagabundo e beberrão, é o primeiro homem que encontra, carece agarrá-lo se não morre solteira. Agora não namorará mais ninguém. Se finge de inocente e virgem, riquezas que não tem mais!... Porém é artista e representa. De vez em quando se vira pra olhar. Olhar dona Ana. Se ri pra ela nesse riso provocante que enche os corpos de vontade.

Na saída da missa outro olhar mais canalha ainda. Pedro Mulatão para na venda. Bebe mais e trama coisas feias. Rosa imagina que falta açúcar só pra ir na venda. É Pedro que traz o embrulho conversando. Convida-a pra de noite. Ela recusa porque assim não casará. Isso pra ele é indiferente: casar ou não casar... Irá pedir.

Desta vez as duas tias nem chamam Rosa, homem repugnante não? Como casá-la com aqueles trinta e cinco anos!... No mínimo, de trinta e cinco pra quarenta. E mulato, amarelo pálido já descorado... pela pinga. Nossa Senhora!... Desculpasse, porém a Rosa não queria casar. Então ela aparece e fala que quer casar com Pedro Mulatão. Elas não podem aconselhar nada diante dele, despedem Pedro. Vão tirar informações. Que volte na quinta-feira.

As informações são as que a gente imagina, péssimas. Vagabundo, chuva, mau-caráter, não serve não. Rosa chora. Há de casar com Pedro Mulatão e si não deixarem ela foge. Dona Ana e dona Carlotinha cedem com a morte na alma.

Quando o João soube que a Rosa ia casar teve um desespero na barriga. Saiu tonto pra espairecer. Achou companheiros e se meteu na caninha. Deixaram ele por aí, sentado na guia da calçada, manhãzinha, podre de bebedeira. O rondante fez ele se erguer.

— Moço, não pode dormir nesse lugar não! Vá pra sua casa!

Ele partiu chorando alto, falando que não tinha a culpa. Depois deitou no capim duma travessa e dormiu. O sol o chamou. Dor de cabeça, gosto ruim na boca... E a vergonha. Nem sabe como entra em casa. O estrilo do pai é danado. Que insultos! seu filho disto, seu não-sei-que-mais, palavras feias que arrepiam... Ninguém imaginaria que homem tão bom pudesse falar aquelas coisas. Ora! todo homem sabe bocagens, é só ter uma dor desesperada que elas saem. Porque o pai de João sofre deveras. Tanto como a mãe que apenas chora. Chora muito. João tem repugnância de si mesmo. De tarde quando volta do serviço, a Carmela chama ele na cerca. Fala que João não deve de beber mais assim porque a mãe chorou muito. Carmela chora também. João percebe que si beber outra vez se prejudicará demais. Jura que não cai noutra. Carmela e ele suspiram se olhando. Ficam ali.

Ia me esquecendo da Rosa... Conto o resto do que sucedeu pro João um outro dia. Prepararam enxoval apressado pra ela, menos de mês. Ainda na véspera do casamento dona Carlotinha insistiu com ela pra que mandasse o noivo embora. Pedro Mulatão era um infame, até gatuno, Deus me perdoe! Rosa não escutou nada. Bateu o pé. Quis casar e casou. Meia que sentia que estava errada porém não queria pensar e não pensava. As duas solteironas choraram muito quando ela partiu casada e vitoriosa sem uma lágrima. Dura.

Rosa foi muito infeliz.

II

JABURU MALANDRO

(1924)

Belazarte me contou:

Pois é... tem vidas assim, tão bem preparadinhas, sem surpresa... São ver gaveta arranjada, com que facilidade você tira a cueca até no escuro, mesmo que ela esteja no fundo!

Mas vem um estabanado, revira tudo, que de cueca? — Maria, você não viu a minha cueca listrada de azul? — Está aí mesmo, seu dotoire! — Não está! Já procurei, não está... E é um custo a gente encontrar a cueca. Você se lembra do João? Ara, se lembra! o padeiro que gostava da Rosa, aquela uma que casou com o mulato... Pois quando contei o caso falei que o João não era homem educado para estar cultivando males de amor... Sofreu uns pares de dias, até bebeu, se lembra? e encontrou a Carmela que principiou a consolá-lo. Não durou muito se consolou. Os dois passavam uma porção de vinte minutos ali na cerca, falando nessas coisas corriqueiras que alimentam amor de gente pobre.

Ora a Carmela... será que ela gostava mesmo do João? Difícil de saber. Era moça bonita, isso era, desses tipos de italiana que envelhecem muito cedo, isto é, envelhecem não, engordam, ficam chatas, enjoativas. Porém nos dezenove, que gostosura! Forte, um pouco baixa, beiços tão repartidinhos no centro, um trevo encarnado! Cabelo mais preto nem de brasileira! Porém o sublime era a pele, com todos os cambiantes do rosado desde o roséo-azul do queixo com as veinhas de cá pra lá sapecas, até o rubro esplendor ao lado dos olhos, querendo extravasar pela fronte nos dias de verão brabo. Filha de italiano já se sabe...

Mas Carmela não tinha a ciência das outras moças italianas daqui. Pudera, as outras saíam todo santo dia, frequentavam as oficinas de costura, as mais humildes estavam nos cortumes, na fiação, que acontecia? Se acostumavam com a vida. Não tinha homem que não lhes falasse uma graça ou no mínimo olhasse pra elas daquele jeito que ensina as coisas. Ficavam sabendo logo de tudo e até segredavam imoralidades umas pras outras, nos olhos. Ficavam finas, de tanta grosseria que escutavam. A grosseria vinha, pam! batia nelas. Geralmente caía no chão. Poucas, em comparação ao número delas, muito poucas se abaixavam pra erguer a grosseria. Essas se perdiam, as pobres! Si não casavam na Polícia, o que era uma felicidade rara, davam nas pensões.

Nas outras a grosseria relava apenas, escorregando pro chão. Mas o choque desbastava um pouco essa crosta inútil de inocência que reveste a gente no começo. Ficavam sabendo, se acostumavam facilmente com o manejo da vida e escolhiam depois o rapaz que mais lhes convinha, seleção natural. Casavam e o destino se cumpria. De chiques e aladas, viravam mães anuais; filho na barriga, filho no peitume, filho agarrado na perna. Domingo iam passear na cidade, espandongadas, cabelo caindo na cara. Não tinha importância, não. Os trabalhadores o que queriam era mãe pros oito a doze filhos do destino.

Carmela não. Vizinhava com a padaria em casa própria. O pai afinal tinha seus cobres de tanta ferradura ordinária que passara adiante, e tanta roda e varal consertados. E, fora as duas menores que nem na escola inda iam, o resto eram filhos, meia dúzia, gente bem macha trabalhando numa conta. Dois casados já. Só um ninguém sabia dele, talvez andasse pelas fazendas... Sei que fora visto uma vez em Botucatu. Era o defeito físico da família. Si o nome dele caía na conversa, a gente só escutava os palavrões que o pai dizia, porca la miseria. Restava a metade de meia dúzia, menores que Carmela, treze, quatorze e dezesseis anos, que seguiam o caminho bom dos mais velhos.

Assim florescentes, todos imaginaram de comum acordo que Carmela não carecia de trabalhar. Deram um estadão pra ela, bonita! O pai olhava a filha e sentia uma ternura diferente. Pra esvaziar a ternura, comprava uma renda, sapatos de pelica alvinha, fitas, coisas assim.

Padeiro portuga e ferreiro italiano, de tanta vizinhança, ficaram amigos. Quando o Serafino Quaglia viu que a filha pendia pro João, gostou bem. Afinal, padaria instalada e afreguesada não é coisa que a gente despreze numa época destas... Porém a história é que Carmela, sequestrada assim da vida, apesar de ter na família uma ascendência que a fazia dona em casa, possuía coração que não sabia de nada. O João era simpático, era. Forte, com os longos braços dependurados, e o bigode principiando, não vê que galego larga bigode... Carmela gostou do João. Quando pediu pra ele que não bebesse mais, João se comoveu. Principiou sentindo Carmela. As entrevistas na cerca tornaram-se diárias. Precisão não havia, ninguém se opunha, e um entrava na casa do outro sem cerimônia, mas é sempre assim porém... Não carece a gente ser de muitos livros, nem da alta, pra inventar a poesia das coisas, amor sempre despertou inspiração... Ora você há de convir que aqueles encontros na cerca tinham seu encanto. Pra eles e pros outros. Ali estavam mais sós, não tinham irmãos em roda. Pois então podiam passar muitos minutos sem falar nada que é a melhor maneira de fazer vibrar o sentimento. Os que passavam viam aquele par tão bonito, brincando com a trepadeira, tirando lasca do pau seco... Isso reconciliava a gente com a malvadeza do mundo.

— Sabe!... a Carmela anda namorando com o João!

— Sai daí, você!... Vem contar isso pra mim! pois si até fui eu que descobri primeiro!

Pam!... Pam!... Pam!... Pam!... Pampampam!... toda a gente correu na esquina pra ver. O carro vinha a passo.

    GRANDE CIRCO BAHIA
    dos irmão Garcias!
Hoje! Serata de estrea! Cachorros e maccacos sabios!
Irmãos Fô-Hi equilibristas! Grandes numeros de
actração mundial!
Apresentação de toda a Compania!
Todos os dias novas estreias!
O homem Cobra. Malunga, o elephante sabio!
Terminará a função a grande pantommima
OS SALTHEADORES DA CALABRIA
Três palhaços e o tony Come Mosca
Evohé! Todos ao Grande Circo Bahia! Hoje!
(Esquina da rua Guaicurús)
Só 2$000 — Cadeiras a Quatro
Imposto a cargo do respeitável Publico!
Eviva!

O circo Bahia vinha tirar um pouco o bairro da rotina do cinema. Pam! Pam!... Pam!... Lá seguia o carro de anúncio entre desejos. Carmela foi contar pro João que ela ia com os três fratelos. João vai também.

O circo estava cheio. Pipoca! Amendoim torrado!... Batat'assat'ô furrn!... Vozinha amarela: Nugá! nugá! nugá!...

Dentadura na escureza: Baleiro!... Balas de coco, chocolate, canela!... E a banda sarapintando de saxofone a noite calma. Estrelas. Foram pras cadeiras, Carmela alumiando de boniteza. O circo não vinha pobre nem nada!

— Todos os números são bons, hein! Eu volto! você?

Come-Mosca quis espiar a caixa tão grande toda de lantejoulas, verde e amarela, que os araras traziam pro centro do picadeiro, prendeu o pé debaixo dela. Foi uma gargalhada com o berro que ele deu.

— Volto também.

Música. O reposteiro escarlate se abriu. O artista veio correndo lá de dentro, com um malhô todo do lantejoulas, listrado de verde e amarelo. Era o homem Cobra. Fez o gesto em curva, braços no ar, deformação do antigo beijo pro público... é pena... tradição que já vai se perdendo... Tipo esquisito o homem Cobra... esguio esguio. Assim de malhô, então, era ver uma lâmina. Tudo lantejoula menos a cabeça, até as mãos! Feio não era não. Esse gênero de brasileiro quase branco já, bem pálido. Cabelo liso, grosso, rutilando azul. O nariz não é chato mais, mesmo delicado de tão pequenino. Aliás, a gente só via os olhos, puxa! negros, enormes! aumentados pelas olheiras. Tomavam a cara toda. Carmela sentiu uma admiração. E um malestar. Pressentimento não era, nem curiosidade... malestar.

O número causou sensação. Já pra trepar na caixa só vendo o que o Homem Cobra fez! caiu no tapete, uma perna foi se arrastando caixa arriba, a outra, depois o corpo, direitinho que nem cobra! até que ficou em cima. Parecia que nem tinha osso, de tão deslocado. Fez coisas incríveis! dava nós com as pernas, ficava um embrulhinho em cima da caixa... Palmas de toda a parte. Depois a música parou, era agora! Ergueu o corpo numa curva, barriga pro ar, pés e mãos nos cantos da caixa. Vieram os irmãos Garcias, de casaca, e o doutor Cerquinho tão conhecido, médico do bairro.
— Olha o doutor Cerquinho! — O doutor Cerquinho!... Homem tão bom, consultas a três milréis... Quando não podia pagar, não fazia mal, ficava pra outra vez. Os irmãos Garcias puxaram a cabeça do Homem Cobra, houve um estalo no bombo da música e a cabeça pendeu deslocada, balanceando. Trrrrrrrrr... tambor. A cabeça principiou girando. Trrrr... Meu Deus! gira-

va rapidíssimo! Trrrrr... "Chega! Chega!" toda a gente gritava. Trrrrr... Foi parando. Os irmãos Garcias, endireitaram a cabeça dele, e o doutor Cerquinho ajudou. Quando acabaram, o moço levantou meio tonto, se rindo. Foi uma ovação. Não sei quantas vezes ele veio lá de dentro agradecer. Os olhos vinham vindo, vinham vindo, aquele gesto de beijo deformado, partiu. As palmas recomeçavam, Carmela pequititinha, agarrada no João, que calor delicioso pra ele! Virou-se, deu um beijo de olhos nela, francamente, sem vergonha nenhuma, apesar de tanto pessoal em roda.

— Coitado não?

— Batuta!

No dia seguinte deu-se isto: estavam almoçando quando a porta se abriu, Pietro! Era um ingrato, era tudo o que você quiser, mas era filho. Foi uma festa. Tanto tempo, como é que viera sem avisar! Como estava grande! Pois faz seis anos já!

— Meu pai desculpa...

O velho resmungou, porém o filho estava bem vestido, não era vagabundo, não pense, estudara. Sabia música e viera dirigindo a banda do circo, foi um frio. O velho desembuchou logo o que pensava de gente do circo. Então Pietro meio que zangou-se, estavam muito enganados! olhem: a moça que anda na bola é mulher do equilibrista, a amazona se casara com o Garcia mais velho, Dolores, uma uruguaia. Gente honesta, até os dois japoneses. Todos espantados.

— Meu pai, o senhor vai comigo lá no circo pra ver como todos são direitos. Eu mesmo, si não casei até agora é porque nesta vida, hoje aqui, amanhã não se sabe onde, inda não encontrei moça de minha simpatia. E você, Carmela?

Ela sorriu, baixando o rosto, orgulhosa de já ter encontrado.

— Temos coisa, não? Por que não foram no circo ontem? É!... Pois não vi não! Também estava uma enchente!... Trouxe entrada pra vocês hoje.

Conversa vai, conversa vem, caiu sobre o Homem Cobra. Afinal não é que o número fosse mais importante que os outros não, até os irmãos de Carmela tinham preferido outras artistas, principalmente o de dezesseis, falando sempre que a dançarina, filha da mãe! botava o pé mais alto que a cabeça. Os outros tinham gostado mais da pantomima. Porém da pantomima, Carmela só enxergara, só seguira os gestos heroicos, maquinais, do chefe dos salteadores, aquele moreno pálido, esguio, flexível, e os grandes olhos. Quando morreu com o tiro do polícia bersagliere, retorcendo no chão que até parecia de deveras, Carmela teve "uma" dó. Sem saber, estava torcendo pra que os salteadores escapassem.

— O Almeidinha... Está aí! um rapaz excelente! é do norte. Toda a gente gosta dele. Faz todas aquelas maravilhas, você viu como ele representa, pois não tem orgulho nenhum não, pau pra toda obra. Serve de arara sem se incomodar...

Até foi convidado pra fazer parte duma companhia dramática, uma feita, em Vitória do Espírito Santo, não aceitou.

É muito meu amigo...

Carmela fitou o irmão, agradecida.

Afinal, pra encurtar as coisas, você logo imagina que o pai de Pietro foi se acostumando fácil com o ofício do filho. Aquilo dava uma grande ascendência pra ele, sobre a vizinhança... Quando no intervalo, o Pietro veio trazer o Garcia mais velho pra junto da família, venceu o pai. Todo mundo estava olhando pra eles com desejo. Conhecer o dono dum circo tão bom!... já era alguma coisa. O João, esse teve só prazer. Fora companheiro de infância do Pietro, este mais velho. Já combinaram um encontro pro dia seguinte de tarde. Pietro mostrará tudo lá por dentro, João queria ver. E que Pietro apareça também lá na padaria... Os pais ficariam contentes de ver ele já homem, ah, meu caro, tempo corre!...

No dia seguinte de tardinha, João já estava meio tonto com as apresentações. Afinal, no picadeiro vazio, foram dar com o Almeidinha assobiando. Endireitava o nó duma corda.

— Boas tardes. Desculpe, estou com a mão suja.

Sorria. Tinha esse rosto inda mal desenhado das crianças, faltava perfil. Quando se ria, eram notas claras sem preocupação. Distraído, Nossa Senhora! — Meidinha, você me arranja esta meia, a malha fugiu... Almeidinha puxava a malha da meia, assobiando. — Meidinha, dá comida pro Malunga, faz favor, tenho de ir buscar os bilhetes. Lá ia o Almeidinha assobiando, dar comida pro Malunga. Então carregar a filhinha da Dolores, dez meses, não havia como ele, a criança adormecia logo com o assobio doce, doce. E conversava tão delicado! João teve um entusiasmo pelo Almeida. E quando, na noite seguinte, o Homem Cobra recebendo aplausos, fez pra ele aquele gesto especial de intimidade, João sentiu-se mais feliz que o rei dom Carlos. Safado rei dão Carlos...

Carmela tanto falava, Pietro tanto insistiu, que o velho Quaglia recebeu o Almeida em casa, mas muito bem. Em dez minutos de conversa, o moço já era estimado por todos. Carmela não pôde ir na cerca, já se vê, tinha visita em casa. João que entrasse, pois não conhecia o Almeida também!

E, vamos falando logo a verdade, o Homem Cobra, assim com aquele jeito indiferente, agarrou tendo uma atenção especial pra Carmela. Ninguém percebia porque, afinal, a Carmela estava quase noiva do João.

Nunca mulher nenhuma tivera uma atenção especial pro Meidinha. Carmela era a primeira. Ele percebeu. Só ele, porque os outros sabiam que ela estava quase noiva do João. E tem coisas que só mesmo entre dois se percebem. Carmela dum momento pra outro, você já sabe o que é a gente se tornar criminoso, ficara hábil. Mesma habilidade no Meidinha, que fazia tudo o que ela fazia primeiro. Até o caso da flor passou despercebido, também quem é que percebe uma sempre-viva destamanho! O certo é que de noite o Homem Cobra trabalhou com ela entre as lantejoulas. Só olho com vontade de ver é que enxerga uma pobre florzinha no meio de tanto brilho artificial.

Era uma hora da madrugada, noite inteiramente adormecida no bairro da Lapa, quando o esguio passou assobiando pela rua. Carmela, não sei que loucura deu nela, acender luz não quis, podiam ver, saltou da cama, e, com o casaquinho de veludo nas costas, entreabriu a janela. Abriu-a. Esperou. O esguio voltava, mãos nos bolsos, assobiando. Vendo Carmela emudeceu. Essas casas de gente meio pobre são tão baixas... tocou no chapéu passando.

— Psiu..

Se chegou.

— Boa noite.

— Safa! a senhora ainda não foi dormir!

— Estava. Mas escutei o senhor, e vim.

— Noite muito bonita...

— É.

— Bom, boas noites.

— Já vai... Fique um pouco...

Ele botara as costas na parede, mãos sempre nos bolsos.

Olhava a rua, com vontade de ir-se embora decerto. Carmela é que trabalhou:

— Vi a flor no seu peito.

— Viu?

— Fiquei muito agradecida.

— Ora.

— Por que o senhor botou a flor, hein?... Podiam perceber!

Almeida se virou, muito admirado:

— O que tinha que vissem?

— É! tinha muita coisa, sabe!

Ele tirara as mãos dos bolsos. Se encostara de novo na janela, e olhava pro chão, brincando o pé numas folhinhas, a mão descansava ali no peitoril. Carmela já conhecia a doçura das mãos dadas com o João, de manso guardou a do moço entre as ardentes dela. Meidinha encarou-a inteiramente, se riu. Virou-se duma vez e retribuiu o carinho pondo a mão livre sobre as de Carmela.

As mãos da senhora estão queimando, safa!

E não pararam mais de se olhar e se sorrir. Porém os artistas mesmo ignorantes de vida, sabem tantas coisas por profissão... não durou muito, Carmela e o Meidinha trocaram o beijo nº 1. Então ele partiu.

Estaria zangada?... Aquela frieza decidiu o João: pedia a moça nessa noite mesmo. Mas, e foi bom se não a história ficava mais feia, não sei o que deu nele de ir falar com ela primeiro. Cerca? era lugar aonde Carmela não chegava desde a quarta-feira. João mandou Sandro chamá-la. Que estava muito ocupada, não podia vir o que seria!... pois si não tinha feito nada!... resolveu entrar, não era homem pra complicações. Porém a moça nem respondeu aos olhares dele. Pietro é que se divertiu com a rusga, até fez uma caçoadinha. João teve um deslumbramento. Gostou. Mas Carmela ficou toda azaranzada. Desenhou um muxoxo de desdém e foi pra dentro. Não sabia bem por que porém de repente principiou a chorar. Veio a mãe ralhando com Pietro onça da vida. É verdade que dona Lina não sabia o que se passara, viu a filha chorando e deu razão à filha. João quando soube que a namorada estava chorando, teve um pressentimento horrível, pressentimento de que, meu Deus!... pressentimento sem mais nada. Entrou em casa tonto, chegou-se pra janela sem pensamento, e ficou olhando a rua. Cada bonde carroça que passava, eram vulcões de poeira. Ar se manchando que nem cara cheia de panos. O jasmineiro da frente, e mesmo do outro lado da rua, por cima do muro, os primeiros galhos das árvores tudo avermelhado. Não vê que Prefeitura se lembra de vir calçar estas ruas! é só asfalto pras ruas vizinhas dos Campos Elísios... Gente pobre que engula poeira dia inteirinho!

Si jantou, João nem percebeu. Depois caiu uma noite insuportável sem ar. João na janela. Os pais vendo ele assim, se puseram a amá-lo. Doente não estava, pois então devia de ser algum desgosto... Carmela. Não podia ser outra coisa. Mas o que teria sucedido! E afinal, gente pobre tem também suas delicadezas, perguntaram de lado, o filho respondeu "não". Consolar não sabiam. Nem tinham de que, ele embirrava negando. Então puseram-se a amar.

É assim que o amor se vinga do desinteresse em que a gente deixa ele. A vida corre tão sossegada, ninguém não bota reparo no amor Ahn... é assim, é!... esperem que hão de ver!... o amor resmunga. E fica desimportante no lugarzinho que lhe deram. De repente a pessoa amada, filho, mulher, qualquer um sofre, e é então, quando mais a gente carece de força pra combater o mal, é então que o amor reaparece, incomodativo, tapando caminho atrapalhando tudo, ajuntando mais dores a esta vida já de si tão difícil de ser vivida.

Assim foi com os pais do João. O filho sofria, isso notava-se bem... Pois careciam de calma, da energia acumulada em anos e anos de trabalheira, que endurece a gente... Em vez: viram que uma outra coisa também se fora ajuntando, crescendo sem que eles reparassem, e era enorme agora, guaçu, macota, gigantesca! amavam o João! adoravam João! Como era engraçado, todo fechadinho, olho fechado, mãozinha fechada, logo depois de nascido!... os choros, noites sem dormir, o primeiro riso enfim, balbúcios, primeiro dente, a roupinha de cetineta cor-de-rosa, a Rosa que não quisera casar com ele, a escola, as doenças, as sovas, a primeira comunhão, o trabalho, a bondade, a força, o futebol, os olhos, aqueles braços dependurados, meu Deus! Todos os dias: o João!... Si tivessem vivido esse amor dia por dia, se compreende: agora só tinham que amar aquele sofrimento do instante, isso inda cristão aguenta. Mais os dias tinham passado sem que dessem tento do amor, e agora, por uma causa que não sabiam, por causa daqueles cotovelos afincados na janela, daquele queixo dobrando o pulso largo, olhar abrindo pra noite sem resposta, vinha todo aquele amor grande de dias mil multiplicados por mil. Amaram com desespero, desesperados de amor.

Quando João viu os vizinhos partindo pro circo, nem discutiu a verdade do peito: vou também. Pegou no chapéu. Pra mãe ele se riu como si fosse possível enganar mãe.

— Vou pro circo... Divertir um bocado.

Depois do que se passara, ir junto dela também era sem-vergonhice, procurou companheiros na arquibancada.

— Ué! você não vai junto da Carmela?

— Não me amole mais com essa carcamana!

— Brigaram!

— Não me amole, já disse!

Mas ver circo, quem é que podia ver circo num atarantamento daqueles! O Homem Cobra com a sempre-viva no peito. Gestos, olhares não fez nenhum que se apontasse, João porém descobriu tudo. A gente não pode culpar o Meidinha, não sabia que o outro gostava de Carmela. Um moço pode estar sentado junto de uma moça sem ser pra namorar...

Nessa noite o assobio chamou duas pessoas na janela. Bater, arrebentar com aquele chicapiau desengonçado! confesso que o João espiando, matutou nisso. Depois imaginou melhor, Carmela era dona do seu nariz e se tinha que fazer das suas, antes agora! aprendia a ver adonde ia caindo, livra! são todas umas galinhas. E bastava. Foi pra cama aparentemente sossegado. Porém que-dê sono! vinha de supetão aquela vontade de ver, tinha que espiar mesmo. Não podia enxergar bem, parece que se beijavam... ôh, que angústia na barriga!...

Afinal foi preciso partir, e o Meidinha andou naquele passo coreográfico dos flexíveis. Ali mesmo na esquina distraiu-se, o assobio contorcido enfiou no ouvido da noite um maxixe acariocado. Carmela... você imagine que noites!

Convenhamos que o costume é lei grande. João mal entredormiu ali pelas três horas, pois às quatro e trinta já estava de pé. Pesava a cabeça, não tem dúvida, mas tinha que trabalhar e trabalhou. Botou o cavalo na carrocinha perfumada com pão novo e tlim... tlrintintim... lá foi numa festança de campainha, tirando um por um os prisioneiros das camas. São cinco horas, padeiro passou.

— É! circo, circo toda noite!... Pois agora não vai mais!

Também agora pouco se amolava que a mãe proibisse espetáculo. Gozar mesmo, só gozou na primeira noite. Depois, um poder de inquietações de vontades, remorsos, remorsos não, duvidinhas... tomavam todo o tempo do espetáculo e ela não podia mais se divertir.

Dona Lina tinha razão. Quando Carmela apareceu, o irregular do corado, manchas soltas, falavam que isso não é vida que se dê para uma rapariga de dezenove anos. Pelos olhos ninguém podia pensar isso porque brilhavam mais ainda. Estavam caindo pros lados das faces num requebro doce, descansado, de pessoa feliz. Não digo mais linda, porém assim, a boniteza de Carmela se... se humanizara. Isso: perdera aquele convencional de pintura, pra adquirir certa violência de malvadez. Não sei si por causa de olhar Carmela, ou por causa da pantomima, a gente se punha matutando sobre os salteadores da Calábria. Não havia razão pra isso, os pais dela eram gente dos arredores de Gênova...

João, outro dia hei-de contar o que sentiu e o que sucedeu pra ele, agora só me lembro dele ainda porque foi o primeiro a ver chegar o Almeida de-tardinha. Veio, já se sabe, mãos nos bolsos, assobio no meio da boca, bamboleando saltadinho no passo miúdo de cabra. Tinha pés de borracha na certa, João tremeu de ódio. Pegou no chapéu, foi até muito longe caminhando. O mal não é a gente amar... O mal é a gente vestir a pessoa amada com um despropósito de atributos divinos, que chegam a triplicar às vezes o volume do amor, o que se dá? Uma pessoa natural é fácil da gente substituir por outra natural também, questão de sair uma e entrar outra... Porém a que sai do nosso peito é amor que sofre de gigantismo idealista, e não se acha outro de tanta gordura pra botar logo no lugar. Por isso fica um vazio doendo, doendo... Então a gente anda cada estirão a pé... Aquilo dura bastante tempo, até que o vazio, graças aos ventinhos da boca da noite, se encha de pó. Se encha de pó.

Estamos no fim. São engraçadas essas mães... Proíbem circo, obrigam as meninas a ir cedo pra cama, pensam que deitar é dormir. Aliás, esta é mesmo uma das fraquezas mais constantes dos homens... Geralmente nós não visamos o mal, visamos o remédio. Daí trinta por cento de desgraças que podiam ser evitadas, trinta por cento é muito, vinte. Carmela entra na conta. Também como é que dona Lina podia imaginar que quem está numa cama não dorme? não podia. Mas nem bem o assobio vinha vindo pra lá da esquina, já Carmela estava de pé. Beijo principiou. Até quando ela retirava um pouco a cara pro respiro de encher, ele espichava o pescoço, vinha salpicar beijos de guanumbi nos lábios dela. Sempre olhando muito, percorrendo, parecia por curiosidade, a cara dela. Mas os beijos grandes, os beijos engolidos, era a diabinha que dava. Ele se deixava enlambuzar. Mestra e discípulo, não? Aquela inocentinha que não trabalhava nas fábricas, quem que havia de dizer!... Eis a inocência no que dá: não vê que moça aprendida trocava o João pelo Homem Cobra... Si esse penetrasse no quarto, creio que nenhum gesto de recusa encontraria no caminho, Carmela estava louca. Só a loucura explica uma loucura dessas. Mas até os desejos se cansam porém, a horas tantas ela sentiu-se exausta de amor. Puseram-se a conversar. Meidinha, mãos nos bolsos, encostara as costas na parede e olhava o chão. Carmela o incomodava com a cobra aderente do abraço, rosto contra rosto. E perdidas, umas frases de intimidade. Ela gemendo:

— Eu gosto tanto de você!

— Eu também.

Engraçado a ambiguidade das respostas elípticas! Gostava de quem? da namorada ou dele mesmo!...

— Você trabalhou hoje?

— Trabalhei. Vamos dar uma pantomima nova. Eu faço o violeiro do Cubatão, venha ver.

— Querido!

Beijo.

É verdade! não se vê mais o João... É parente de você, é?

— Parente? Deus te livre! deu um muxoxo. Não sei onde anda. Não gosto dele!

Silêncio. Carmela sentiu um instinto vago de arranjar as coisas. Afinal, o caso dela se tornara uma dessas gavetas reviradas, onde a gente não encontra a cueca mais. Continuou:

— Ele queria casar comigo, mas porém não gosto dele, é bobo. Só com você que hei-de casar!

Meidinha estava olhando o chão. Ficou olhando. Depois se virou manso e encarou a bonita. Os olhos dele, grandes, inda mais grandes, engoliram os da moça, contemplava. Contemplava embevecido. Carmela pousou nesses beiços entreabertos o incêndio úmido dos dela. Meidinha agora deixara os olhos caírem duma banda. Abraçados assim de frente, Carmela descansou o queixo no ombro do moço, e respirava sossegada o aroma de vida que vinha subindo da nuca dele. Ele sempre de olhos grandes, mais grandes ainda, caídos dum lado, perdidos na escureza do quarto indiferente.

— A gente há-de ser muito feliz, não me incomodo que você trabalhe no circo... Irei aonde você for. Si papai não quiser, fujo. Uhm...

Até conseguiu beijar o pescoço dele atrás. O Meidinha... os lábios dele mexiam, mas não falavam porém. Uma impressão de surpresa vibrou-lhe os músculos da cara de repente. Foi-se esvaindo, não, foi descendo pros beiços que ficaram caídos, com dor. Durante uma energia lhe ajuntou quase as sobrancelhas. Acalmou. Veio o sorriso. Tirou Carmela do ombro. Na realidade era o primeiro gesto de posse que fazia, segurou a cabeça dela. Contemplou-a. Riu pra ela.

— Vou embora. É muito tarde...

Enlaçou-a. Beijou-lhe a boca ardentemente e tornou a beijar. Carmela sentiu uma felicidade, que si ela fosse dessas lidas nos livros, dava recordação pra vida inteira. Ficou imóvel, vendo ele se afastar. Assobio não se escutou.

No dia seguinte, que-dele o Homem Cobra?

— Vocês não viram o Meidinha, gente!

— Pois não dormiu em casa!

— Não dormiu não?

— Decerto alguma farra...

— Que o quê!...

Que-dele o Almeida? Só de tarde, alguns grupos sabiam na Lapa que o Homem Cobra embarcara não sei pra onde, o Abraão é que contava. Tinham ido juntos, no primeiro bonde "Anastácio" da madrugada. Vendo o outro de mala, indagou:

— Vai viajar!

— Vou.

— Deixa o circo!

— Deixo.

— Pra sempre é!

O Homem Cobra olhara pra ele, parecendo zangado.

— Não tenho que lhe dar satisfações.

Virou a cara pro bairro trepando das Perdizes.

— De repente, vocês não imaginam, principiou a assobiar, alegre! um assobio de apito, nunca vi assobiar tão bem! Trabalho na Avenida Tiradentes... fui seguindo ele. Entrou na estação da Sorocabana.

— Era o melhor número do circo...

A essa hora já tivera tempo quente na casa dos Quaglias, Pietro levara a notícia. Carmela abriu uma boca que não tinha; ataque, gente do povo não sabe ter, caiu numa choradeira de desespero, só vendo! descobriram tudo. Não que ela contasse, porém era muito fácil de adivinhar. Soluçava gritando querendo sair pra rua chamando pelo Meidinha. Tiveram certeza duma calúnia exagerada, pavorosa, que o tempo desmentiu. O velho Quaglia perdeu a cabeça duma vez, desancou a filha que não foi vida. Carmela falava berrado que não era o que imaginavam... mas só mesmo quando não teve mais força misturada com a dor, é que o velho parou. Parou pra ficar chorando que nem bezerro. Pietro andava fechando porta, fechando quanta janela encontrava, pra ninguém de fora ouvir, mas boato corre ninguém sabe como, as paredes têm ouvidos... E língua muito leviana, isso é que é. Os rapazes principiaram olhando pra Carmela dum jeito especial, e ficavam se rindo uns pros outros. Até propostas lhe fizeram. E ninguém mais não quis casar com ela. E só se vendo como ela procurava!... Uma verdadeira... nem sei o quê!

Até que ficou... não-sei-o-quê de verdade. E sabe inda por cima o que andaram espalhando? Que quem principiou foi o irmão dela mesmo, o tal da dançarina... Porém coisa que não vi, não juro. E falo sempre que não sei.

Só sei que Carmela foi muito infeliz.

III

CAIM, CAIM E O RESTO

(1924)

Belazarte me contou:

Talvez ninguém reparasse, nem eles mesmos, porém foi sim, foi depois daquela noite, que os dois começaram brigando por um nada. Dois manos brigando desse jeito, onde se viu! E dantes tão amigos... Pois foi naquela noite. Sentados um a par do outro, olhavam a quermesse. O leilão estava engraçado. O Sadresky dera três mil réis por um cravo da Flora, êta mulatinha esperta! Também com cada olhão de jabuticaba rachada, branco e preto luzindo melado, ver suco de jabuticaba mesmo... onde estará ela agora? até com seu doutor Cerquinho!...

— Você foi pagar a conta pra ele, Aldo?

— Já.

— Contemplavam o povo entrançado no largo. Seguiam um, seguiam outro, pensando só com os olhos. Nem trocavam palavra, não era preciso mais: se conheciam bem por dentro. De repente viraram-se um pro outro como para espiar onde que o mano olhava. Aldo fixou Tino. Tino não quis retirar primeiro os olhos. Olho que não pestaneja, cansa logo, fica ardendo que nem com areia e pega a relampear. Quatro fuzis, meu caro, quatro fuzis de raiva. Nem raiva, era ódio já. Aldo fez assim um jeito de muxoxo pro magricela do irmão, riu com desprezo. Tino arregalou o focinho como gato assanhado.

Se separaram. Aldo foi falar com uns rapazes, Tino foi falar com outros. Às vinte e duas horas tudo se acabava mesmo... voltaram pra casa. Mas cada qual vinha numa calçada. Braço a torcer é que nenhum não dava, não vê! Dentro do quarto brigaram. Por um nadinha, questão de roupa na guarda da cama. Dona Maria veio saber o que era aquilo espantada. Foi uma discussão temível.

Da discussão aos murros não levou três dias. E por quê? Ninguém sabia. A verdade é que a vida mudou pra aqueles três. Inútil a mãe chorar, se lamentar, até insultando os filhos. Quê! nem si o defunto marido estivesse inda vivo!... Pegou fogo e a vida antiga não voltava mais.

E dantes tão irmãos um do outro!... Aldo até protegia Tino que era enfezado, cor escura. Herdara o brasileiro do pai, aquela cor caínha que não dava nada de si e uns musculinhos que nem o trabalho vivo de pedreiro consertava. Quando tirava fora a camisa pra se lavar no sábado, qual! mesmo de camisa e paletó, as espáduas pousavam sobre o dorso curvo como duas asas fechadas.

E era mesmo um anjo o Tino, tão quietinho! humilde, talhado pra sacristão. Cantava com voz fraca muito bonita, principalmente a *Mamma mia* num napolitano duvidoso de bairro da Lapa. Quando depois da janta, fazendo algum trabalhinho, lá dentro ele cantava, Aldo junto da janela sentia-se orgulhoso si algum passante parava escutando. Si o tal não parava, Aldo punha este pensamento na cachola: "Esse não gosta de música... estúpido". Que alguém não apreciasse a voz do Tino, isso Aldo não podia pensar porque adorava o mano.

Era bem forte puxara mais a mãe que o pai. Só que a gordura materna se transformava em músculos no corpo vermelho dele. Pois então, percebendo que os outros abusavam do Tino, não deixava mais que o irmão se empregasse isolado, estavam sempre juntos na construção da mesma casa. Ganhavam bem.

Naquela casinha do bairro da Lapa a vida era de paraíso.

Dona Maria lavava o que não dava o dia. O defunto marido, uma pena morrer tão cedo! fora assinzinho... Homem, até fora bom, porque isso de beber no sábado, quem que não bebe!... Paciência, lavando também se ganha. Além disso, logo os filhos tão bonzinhos principiaram trabalhando. Si a Lina fosse viva... que bonita!... Felizmente os filhos a consolavam. Lhe entregavam todo o dinheiro ganho. Gente pobre e assim é raro.

— Meu filhos, vocês podem precisar... Então tomem. Aqueles dois dez mil réis duravam quase o mês inteirinho. Fumar não fumavam. Um guaraná no domingo, de vez em quando a entrada no Recreio ou no Carlos Gomes recentemente inaugurado, nos dias dos filmes com muito anúncio.

No geral os manos passavam os descansos junto da mãe. No verão iam pra porta, aquelas noites mansas, imensas da Lapa... Plão, tlão, tralharão, tão, plão, plãorrrrr... bonde passava. E o silêncio. A casa ficava um pouco apartada sem vizinhos paredes-meias. Na frente do outro lado da rua era o muro da fábrica, tal e qual uma cinta de couro separando a terra da noite esbranquiçada pela neblina. Chaminés. A cinquenta metros outras casas. O cachorro latia, uau, uau... uau...

— Pedro diz que vai deixar o emprego.

Silêncio.

— Vamos no jogo domingo, Tino?

— Não vale a pena, o Palestra vai perder. Bianco não joga.

— Mas Amílcar.

— Você com seu Amílcar!

Silêncio. Tino não queria ir.

— E tanto pessoal, Aldo...

— Você quer, a gente vai cedo.

Silêncio. Aldo acabava fazendo a vontade do irmão.

Às vezes também algum camarada vinha conversar.

Agora? até já se comenta. Mãe que descomponha, que insulte... Mais chora que descompõe, a coitada! Lá estão os dois discutindo, ninguém sabe por quê. De repente, tapas. E Tino não apanha mais que o outro, não pense, é duma perversidade inventiva extraordinária. O irmão acaba sempre sofrendo mais do que ele. Aldo é mais forte e por isso naturalmente mais saranga. Porém paciência se esgota um dia e quando se esgotava era cada surra no irmão. Tino ficava com a cara vermelha de tanta bofetada. Um pouco tonto dos socos. Aldo porém tinha sempre a mordida, a alfinetada, coisa assim com perigo de arruinar. Os estragos da briga duravam mais tempo nele.

Não se falavam mais. E agora cada qual andava num emprego diferente. O mais engraçado é que quando um ia no cinema o outro ia também. Sempre era o Tino que espiava Aldo sair, saía atrás.

Nunca iam à missa. De religião só tirar o chapéu quando passavam pela porta das igrejas. Porque tiravam não sabiam, tinham visto o pai fazer assim e muita gente fazia assim, faziam também, costume. Isso mesmo quando não estavam com algum companheiro que era fascista e anticlerical porque lera no *Fanfulla*. Então passavam muito indiferentes, mãos nos bolsos talvez. E não sentiam remorso algum.

Pois nesse domingo foram à N. S. da Lapa outra vez. Agora que estavam maus filhos, maus irmãos, enfim maus homens, davam pra ir à missa! Quando a reza acabou ficaram ali no adro da igreja meio construída, cada um do seu lado, já sabe. Tino à esquerda da porta. Aldo à direita. Toda a gente foi saindo e afinal tudo acabou. Ficaram apenas alguns rapazes proseando.

    Aldo voltou pra casa com uma tristeza. Tino com outra que, você vai ver, era a mesma. Até se sentiram mais irmãos por um minuto. Minuto e meio. Desejos de voltar à vida antiga... Era só cada um chegar até no meio da rua, pronto: se abraçavam chorando, "Fratello!..." Que paz viria depois! Mas, e o desespero então? aonde que leva? Reagiram contra o sentimento bom. Uma raiva do irmão... Uma raiva iminente do irmão. Dali, iam só procurar o primeiro motivo e agora que tinham mais essa tristeza por descarregar, temos tapa na certa.

    Chegaram em casa e dito e feito: brigaram medonhamente. Porca la miseria, dava medo! Se engalfinharam mudos. Aldo, subia o sangue no rosto dele, tinha os olhos que nem fogaréu. Derrubou o mano, agarrou o corpo do outro entre os joelhos e páa! Tino se ajeitando, rilhava os dentes, muito pálido, engolindo tunda numa conta. A janela estava aberta... Dona Maria no quintal, não sei si ouviu, pressentiu com certeza, coitada! era mãe... ia entrar. Porém teve que saudar primeiro a conhecida que vinha passando no outro lado da rua. Até quis botar um riso na boca pra outra não desconfiar.

— Sabe, dona Maria, a conhecida gritava de lá, a Teresinha vai casar! Com o Alfredo.

— Ahn...

— Pois é. De repente. Bom, até logo.

    O soco parou no ar, inútil, os dois manos se olharam. Viram muito bem que não havia mais razão pra brigas agora. Não havia mesmo, deviam ser irmãos outra vez. A felicidade voltava na certa e aquele sossego antigo... O soco seguiu na trajetória, foi martelar na testa do Tino, peim! seco, seco. Tino com um jeito rápido, histérico, não sei como, virou um bocado entre as pernas de Aldo. Conseguiu com as mãos livres agarrar o pulso do outro. Encolheu-se todinho em bola e mordeu onde pôde, que dentada! Aldo puxou a mão desesperado, pleque! sofreu com o estralo do dedo que não foi vida. Mas por ver sangue é que cegou.

— Morde agora, filho da puta!

Na garganta. Apertou. Dona Maria entrava.

— Meu filho!

— Morde agora!

Tino desesperado buscava com as mãos alargar aquele nó, sufocava. Encontrou no caminho a mão do outro e uma coisa pendente, meio solta, molhada, agarrou. E num esforço de última vida, puxou pra ver se abria a tenaz que o enforcava. Dona Maria não conseguia separar ninguém. Tino puxou, que eu disse, e de repente a mão dele sem mais resistência riscou um semicírculo no ar. Foi bater no chão aberta ensanguentada, atirando pra longe o dedo arrancado de Aldo.

— Morde agora!

Tino se inteiriçando. Abriu com os dentes uma risada lateral, até corara um pouco. Dona Maria chegava só ao portãozinho gritando. Não podia ir mais além, lhe dava aquela curiosidade amorosa, entrava de novo. Tino se inteiriçando.

Ela saía outra vez:

— Socorro! meu filho!

Meu Deus, era domingo! entrava de novo. Batia com os punhos na cabeça. Pois batesse forte com um pau na cabeça do Aldo! Mas quem disse que ela se lembrava de bater!

— Socorro! meu filho morre!

Entrava. Saía. Às vezes dava umas viravoltas, até parecia que estava dançando... Balancez, tour, era horrível.

O primeiro homem que acorreu já chegou tarde. E só três juntos afinal, conseguiram livrar o morto das mãos do irmão. Aldo como que enlouquecera, olho parado no meio da testa, boca aberta com uns resmungos ofegantes.

Levaram ele preso. Dona Maria é que nem sei como não enlouqueceu de verdade. Berrava atirada sobre o cadáver do filho, porém quando o outro foi-se embora na ambulância, até bateu nos soldados. Foram brutos com ela. Esses soldados da Polícia são assim mesmo, gente mais ordinária que há! Ũa mãe... compreende-se que tivesse atos inconscientes! pois tivessem paciência com ela! Que paciência nem mané paciência! em vez, davam cada empurrão na pobre...

— Fique quieta, mulher, sinão levo ocê também!

Fecharam a portinhola e a sereia cantou numa fermata de *Addio* rumo da correição.

Seguiu-se toda a miséria do aparelho judiciário. Solidão.

Raciocínio. O julgamento. Aldo saiu livre. Pra que vale um dedo perdido? Caso de legítima defesa complicada com perturbação de sentidos, é lógico, art. 32, art. 27 § 4º... A medicina do advogadinho salvou o réu.

Recomeçou no trabalho. Muito silencioso sempre, sossegado, parecia bom. Às vezes parava um pouco o gesto como que refletindo. Afinal todos na obra acabavam esquecendo o passado e Aldo encontrou simpatias. Camaradagem até. Não: camaradagem não, porque não dava mais que duas palavras pra cada um. Mas muitos operários simpatizavam com ele. São coisas que acontecem, falavam, e a culpa fora do mano, a prova é que Aldo saíra livre. E o dedo.

Mas o caso não terminou. Um dia Aldo desapareceu e nem semana depois encontraram ele morto, já bem podrezinho, num campo. Quem seria? Procura daqui, procura dali, a Polícia de São Paulo, você sabe, às vezes é feliz, acabaram descobrindo que o assassino era o marido da Teresinha.

E por que, agora! ninguém não sabia. A pobre da Teresinha é que chorava agarrada nos dois filhinhos, imaginando por que seria que o marido matara esse outro. De que se lembrava muito vagamente, é capaz que dancei com ele numa festa? Mas não lembrava bem, tantos moços... E não pertencera ao grupinho dela. Mas que o Alfredo era bom, ela jurava.

— Meu marido está inocente! repetia cem vezes inúteis por dia.

O Alfredo gritava que fora provocado, que o outro o convidara pra irem ver uma casa, não sei o quê! pra irem ver um terreno, e de repente se atirara sobre ele quando atravessavam o campo... Então pra que não veio contar tudo logo! Em vez: continuou tranquilo indo no serviço todo santo dia, muito satisfeito... que "facínora"! Toda a gente estava contra ele, o Aldo tão quieto!...

O advogado devassou a série completa dos argumentos de defesa própria. E lembrou com termos convincentes que o Alfredo era bom. Afinal vinte e dois anos de honestidade e bom comportamento provam alguma coisa, senhores jurados! E a Teresinha com as duas crianças ali, chorosa... Grupo comovente. O maior, de quinze meses, procurava enfiar o caracaxá vermelho na boca da mãe. Não brinque com essa história de isolar sempre que falo em mãe, o caso é triste. Pois tudo inútil, o criminoso estava com todos os dedos.

Foi condenado a nem sei quantos anos de prisão.

A Teresinha lavava roupa, costurava, mas qual! com filho de ano e pouco e outro mamando, trabalhava mal. E, parece incrível! inda por cima com a mãe nas costas, velha sem valer nada... Si ao menos soubesse onde que estavam esses irmãos pelas fazendas... Mas não ajudariam, estou certo disso, uns desalmados que nunca deram sinal de si... Então desesperava, ralhava com a mãe, dava nos pequenos que era uma judiaria.

A sogra, essa quando chegava até o porão da nora, trazia ũa esmola entre pragas, odiava a moça. Adivinhava muito, com instinto de mãe, e odiava a moça. Amaldiçoava os netos. Os dez milréis sobre um monte de insultos ficavam ali atirados, aviltantes relumeando no escuro. Teresinha pegava neles, ia comprar coisas pra si, pros filhos, como ajudavam! Ainda sobrava um pouco pra facilitar o pagamento do aluguel no mês seguinte. Mas não lhe mitigavam a desgraça.

Também lhe faziam propostas, que inda restavam uns bons pedaços de mulher no corpo dela. Recusava com medo do marido ao sair da prisão, um assassino, credo!

Teresinha era muito infeliz.

IV

MENINA DE OLHO NO FUNDO

(1925)

Belazarte me contou:

Você é músico, e do conservatório grande lá da avenida S. João, por isso há de se divertir com o caso...

O maestro Marchese era maestro uma ova, foi mas violinista duma companhia de operetas, isso sim. Até me contaram que na Itália ele esfregava rabecão num barzinho de Gênova, não sei. Chegou aqui, virou maestro. Mas como não tinha bastante aluno particular, botou uma espécie de escola de música diurne e serale numa casinha da Avenida Rangel Pestana, lá no Brás. Cinco milréis mensais por cabeça, trazendo instrumento. O maestro ensinava tudo, canto, piano, violino, cavaquinho, sanfona. Choveu aluno que nem passarão no Rio Negro tempo de imigrar. O Marchese não dava mais conta do recado e precisou de tomar uns professores de ajuda.

Mesmo no Brás tinha um moço muito bonzinho, coitado! que estudava violino com o professor Bastiani, colega de você. Pra encurtar: o maestro Marchese mandou chamar o Carlos da Silva Gomes, e lá ficou seu Gomes como professor de viola e artinha no conservatório. Ia me esquecendo de contar que a tal escola se chamava Conservatório Giacomo Puccini.

A empresa progredia. Até a gente mais endinheirada do bairro principiou botando os filhos lá, ficava mais perto e não carecia de acompanhar ninguém à cidade. O Marchese, esse então virou rei da música do Brás. No cinema torcia o nariz porque a orquestrinha não prestava e o saxofone tinha desafinado. No dia seguinte toda a gente falava pra seu Fifo que o saxofone estava desafinando e crocotó! maré vazava pro pesado do saxofone. Seu Fifo mandava falar pra ele que não careciam mais de saxofone na orquestrinha e quem que arranjava saxofonista novo? já sabe: o maestro Marchese já de brilhantão no dedo e quatro marchesinhos com bastante macarrão na barriga lá em casa. Até sala de visitas arranjou no lar, com piano à prestação e retrato do Giacomo Puccini.

O maestro bem que gostava de ficar com todas as alunas que lhe pareciam gente mais arranjada, porém quando a filha do Bermudes foi se matricular, parafusou, parafusou e afinal achou melhor colocar a moça no curso de seu Gomes. Não vê que a Dolores sempre botava umas olhadas pra ele e a Pascoalina não era coisa de que a gente não fizesse caso não: desconfiando, era capaz dalgum escândalo dos diabos. Por isso o maestro falou pra mãe da mocinha que a sinhora vai vedere num stantinho sua filha fica una artista, lo giuro! Seu Gomes é um professore molto bon, ah questo!... proprio la minha scuola!

A mãe da Dolores até saiu bem contente porque tinha vindo pro bairro, fazia tempo, recém-casada ainda... Sabia que a família de seu Gomes era gente fina, parente dos Prados. Tinham continuado pobres. Ela da casinha de porta e janela fora subindo até aquele número 25 assobradado. E agora a filha estava aprendendo com o parente dos Prados. Sorriu numa satisfa que lhe inchava toda a banha, oitenta e nove quilos pra mais. Tirou o chapéu de renda preta, procurou na manga da blusa o lenço marcado M. S. B., Marina Sarti Bermudes, e limpou o orvalho do bigodinho. Foi no quintal, colheu não sei quantas dúzias de margaridas, botou numa cesta e mandou a criada levar na casa de seu Gomes que a filha mandava.

Dolores era um desses tipos que o Brasil importa a mãe e o pai pra bancar que também dá moça linda. Direitinho certas indústrias de São Paulo... Da terra e da nossa raça não tinha nada, porém se pode afirmar que tinha o demais porque não havia ninguém mais brasileiro que ela. Falassem mal do Brasil perto dela pra ver o que sucedia! Desbaratava logo com o amaldiçoado que vem comer o pão da gente, agora! pra que não ficou lá na sua terra morrendo de fome! vá saindo! Ah! perto de mim você não fala do Brasil não porque eu dou pra trás, sabe! Eu sei bem que a Itália é mais bonita, mais bonita o que... uma porcariada de casas velhas, isso sim, e gente ruim, só calabrês assassino é que se vê!... Aqui tem cada amor de bangalozinho!... e a estação da Luz, então! Você nunca, aposto, que já entrou no teatro Municipal!

Si entrou, foi pro galinheiro, não viu o fuaiér! Itália... A nossa catedral... aquilo é gótico, sabe! não está acabada mas falaram pra mim que vai ter as torres mais compridas do mundo!

 E Dolores ficava muito bonita na irritação, com cada olho enorme lá no fundo relumeando que nem esmeralda. Era uma belezinha. Esguia, bem-feita, com tudo saltadinho, ombros descidos, pescoço penujado de iererê. Então do pescoço pra cima! Morena, com cada jambinho madurando nas faces que si a gente provasse uma vez só, virava no sufragante ijucapirama do amor. Cabelo cor de castanha pra mais claro cheio de muitos cachos de verdade que ela ainda não tivera coragem de cortar pra seguir a moda das amigas. Quando for pra suspender, eu corto em vez de suspender, falava. E aqueles crespos lhe rodeavam tão bem a cor! dando pra boniteza dela uma esquisitice rara com que a gente primeiro carecia se acostumar. A boca não era grande coisa mas não prejudicava. E os olhos, Nossa Senhora! tinha verde de bredo com vaga-lume estrelando por cima, num Cruzeiro do Sul de noite e dia.

 Estava pra fazer dezessete. Era bem educadinha, isto é... tinha seguido o curso dum colégio meio econômico mas bem frequentado. Ainda se obstinava no francês, como as amigas faziam, e experimentava as danças da moda com a melhor professora da cidade. Contava muitas amigas ali da Vila Buarque, que é o bairro de pobreza escondida, e tinha sobre elas a ascendência respeitável de quem não manda reformar vestido. Andava nuns trinques.

 Era natural que revolucionasse o curso de seu Gomes, pois foi. Já sabia seus vibratos de violino aprendido no colégio e até terceira posição ia bem direitinho. Faltava afinação mas não faltava inteligência. O Gomes principiou alimentando a ideia de que a Dolores era bem capaz de fazer a notoriedade dele como professor.

 Logo simpatizara com ela. Mas não envenene o caso não, era simpatia de amizade apenas. E um poucadinho de ambição também. Professor é sempre assim: por mais pura que seja a amizade dele por aluno, há sempre uma esperancinha de perpetuação enfeiando o sentimento. Não dizem, porém a gente percebe que estão procedendo como si dissessem: Isto quem fez fui eu. Seu Gomes imaginou que a Dolores ia fazer a celebridade dele e teve simpatia por ela. Em amor não pensou e, franqueza: nem sentiu nada diante dela. Era sossegado, meio tímido e chegara aos vinte e quatro sem nunca ter chamego por ninguém.

Nem sabia si casava ou não. Tinha primeiro que arranjar reputação de professor bom, o que já é bastante difícil pra mestre "Juvenal", como chamam aos solteirões no Nordeste. Aliás, sem querer, outro dia, seu Gomes levantara os olhos, saudara a vizinha, uma creio que modista. Até encafifara porque nunca tirava chapéu pra vizinho. Não sabia por que tirara, ia tão distraído, foi de repente. Mas, saudara uma vez e continuou saudando.

Outra razão importante acabou por destruir qualquer vontade que ele pudesse ter de se enguiçar pela Dolores. Ela era vivinha, foi logo se chegando pra maiores intimidades. Que que ele havia de fazer! tinha que falar "muito obrigado" por causa das margaridas, por causa dos cravos, por causa dos bolinhos que era quase toda semana iam parar na casa dele.

— Então o senhor gostou, é? Ainda hei de mandar pro senhor mas é um bolo que eu faço, esse sim! Mas precisa figos cristalizados e o empório não tinha. Quando eu for na cidade, trago. Papai? a gente encomenda pra ele, o pobre! esquece.

— Mas dona Dolores...

— Pra que que o senhor me chama "dona", fica tão feio! Pois não sou sua aluna! Fale "Dores", "Dores" como fiz me chamarem lá em casa. "Dores", "você", e pronto!

Ele achava graça naquela voz de criança.

— Pois então chamo. Ia dizendo que você não deve se incomodar assim comigo...

— Me incomodar! Não fale nisso, seu Carlos!

— Mas sua mãe, Dolores...

— Dores! "Dolores" é espanhol, não gosto! Sou tão brasileira como o senhor, fique sabendo! Já não basta esse Bermudes tão feio que não posso mudar... Fale "Dores"! São tão bonitos os nomes brasileiros... Carlos da Silva Gomes! Ah, si eu tivesse um nome assim!

— Pois eu acho Dolores um nome bem bonito.

— Ora, seu Carlos! ... O senhor vai me chamar "Dores", chama? Não custa nada pro senhor e fico tão feliz! Diga que chama!

— Pois chamo... a senhora...

— Olhe! "Dores", "você".

— Espere um pouco também! deixe eu me acostumar. No começo a gente confunde... Dores.

Ela fechou os ombros numa expressão de gosto alegre. Riu.

— Do que você está rindo?

— Eu sempre falo que consigo tudo dos meus professores! Já no colégio era assim. O professor de aritmética me avisou que eu tomava bomba, e tomava mesmo porque tenho horror de aritmética, credo! Pois apostei com as colegas, não estudei mesmo nada e passei!

— E como é que você fez!

— Ah, isso... são cá uns segredinhos! A gente não estuda mas... ihi... então pra que que a gente tem olhos então!...

— Dolores!

— Ora, seu Carlos! são uns professores coiós, qualquer coisa já pensam que a gente está doida por eles... a gente aproveita, é lógico!

— Mas Dolores...

— Dores!

— Você é uma criança, Dores! Teve coragem de namorar o professor só pra passar!

— Namorar? que nada! Olhava dum certo jeitinho e ele é que pensava que eu estava namorando. Ihi... quando chegou no exame, fez a prova e disfarçando botou na minha carteira, foi só copiar! Distinção! As outras é que estrilaram! Outro coió é o professor de francês, tamanho velho!... Uma vez se queixou pra mamãe e ela me bateu. Espera aí, seu caixadóculos, que eu faço você ficar manso!... do que que o senhor está se rindo tanto, seu Carlos!

— Pois Dores, eu sou seu professor e você vem contar isso pra mim!

Dolores ficou séria de repente. E apertando a mão dele com força:

— Seu Carlos, o senhor não vá pensar que trato o senhor desse jeito quando... ah, não!

Já se ria outra vez. Retirou a mão. E por faceirice, num gesto de inocência fingida:

— Posso contar pro senhor porque já sei com quem estou tratando.

— Ah, isso, você pode ter certeza, Dores! Já falei que você tem jeito pra música mas si não estudar, comigo é que você não passa nem que remexa os olhares mais arrevesados desse mundo!

— Ihi... não é arrevesado que a gente faz, seu Carlos!

— Então como é?

— Não tem palavra pra explicar, só fazendo... Mas diante do senhor tenho vergonha!

E ficou tal qual um jenipapo, roxa de vergonha sem razão. E o verde fundo dos olhos fuzilando... Seu Gomes pensou a palavra "bonita" e fez a menina repetir mais três vezes a escala de ré maior.

— Dores você carece estudar mais! Olhe que lição você me trouxe! Assim não serve porque afinal nós dois perdemos tempo à toa. Não estou aqui pra isso não!

— Oh, seu Carlos...

E num átimo ele se viu todo coberto de esmeraldas tristes. Percebeu que fora ríspido demais, melhorou:

— Dores, você não sabe... Um professor, si é deveras professor quer bem as alunas como... filhas, Dores. Quer que elas progridam, que fiquem tocando muito bem... Você Dores... você precisa aproveitar os dotes que tem! De todas as minhas alunas é a mais bem dotada, é... é a milhor, estude, faz favor! Você já me disse que gosta muito de mim como professor...

— Gosto muito!

— ...pois então, estude... pra me fazer feliz!

— Seu Carlos, eu vou estudar muito agora!

— Então vá!

— Té quinta, seu Carlos!

— Té mais.

Ficou sozinho na sala, todo cheio de esmeraldas alegres. Não percebia que tinha melhorado por demais a zanga, eis como os casos principiam, meu caro. A gente vai melhorar e daí que a joça destempera duma vez. Seu Gomes ficara zangado por timidez. A palavra "bonita" avisou que si ele não pusesse reparo seria o bobão próximo. E ainda restava um certo despeito de classe por ver os professores tão brincados por uma criança, então zangou meio sem razão. Mas tristura de olho no fundo quem que aguenta? Seu Gomes acalmou fácil. Não sentiu mais nada que continuasse a palavra "bonita" e quis carinhosamente fazer estudar mais, uma aluna de que esperava muita coisa. Pôs ambição no conselho e a boba da mocinha sentiu um golpe bom dentro da impaciência. Saiu feliz sem saber de que porém mesmo nesse dia inda foram quase duas horas de ré maior.

Seu Gomes sorumbático puxou a cigarreira pra fumar. Viu a cara embaçada na tampa de prata. E daquela cara regular dum moreno pálido, com o cabelo crespo negrejando sobre as entradas, descia um corpo que não era fraco não: capaz de aguentar com a dona que encostasse nele. E seu Gomes piazinho inda machucara muito uma unha. Ficara aquela mancha preta grande que até dava espírito pra mão. Saiu sorumbático. Aquela menina era bem capaz de fazer dele... isso não, que não era nenhum leso! A Serafina. (É a vizinha.) Não podia ser acaso não. De primeiro inda era só de tarde, hora mesmo da gente estar na janela, mas agora ao meio-dia, pronto: sorrindo pálido pra saudação dele. Serafina. Doce nome... Todas as raças são iguais... Seu Gomes entardeceu num sossego largado, muito suave. Sorriu livre, tornando a pensar na Dolores, que sapequinha! Enfim, fora bom porque agora sabia com quem estava tratando.

E ensinou a Dolores com muito carinho, com imensa amizade, cada vez mais íntima e mais amizade.

E depois: ela progredia. Muito preguiçosa porém seu Gomes logo descobriu que falando com certo jeitinho, voz mais baixa meio surda... só fazendo, a Dores saía dali e estudava até umas quatro horas por dia durante uma semana. Pois então, queria que ela estudasse! duas três vezes por mês falava do tal jeitinho. Isso chovia esmeralda de bandeirante numa conta em cima dele. Até, no fim desse mesmo ano quando o maestro Marchese disse que bisognava arranjare qualque músicas pra la signorina tocare náa festa, nem seu Gomes precisou se incomodar muito: a signorina teve um sucesso com o *Noturno* de Chopin transcrito.

Estamos três anos depois dessa festa e lá por dezembro Dolores recebe o diploma do Giacomo Puccini. É sempre a mesma coisa como carinha bonita mas anda mais desmerecida. Estuda muito agora e toca de deveras com espírito o que toca. Era considerada a milhor aluna do "Giacomo" como se falava no Brás, deixando rabi o nome do conservatório. O Marchese andava enciumado e sei que andou chamando umas colegas da Dolores na sala da diretoria, perguntando umas coisas, filho da mãe!...

Uhm, me esquecia... meses antes ela ficara noiva. Seu Gomes fora na casa dela acertar umas músicas, de repente ela mostrou a aliança de prata na mão direita:

— Já reparou?

— Já. Não sabia que a minha Dores estava casada, o que você carece mas é estudar mais, sabe!

— Não casada não, seu Carlos! As noivas é que usam aliança de prata.

— Você está noiva, Dores!

Ela abaixou a cabeça, rindo manso e mandou lá do fundo um feixe de esmeraldas pra seu Gomes. Ele estava sério. Antes de mais nada, se lembrou da aluna, tanta trabalheira de estudo e pronto! se apaixonava pelo primeiro sarambé que aparecia.

— Meus parabéns. Não sabia.

— O senhor... parece que não gostou, seu Carlos!

— Gostei, Dores. Mas acho que é uma pena você casar já, tão moça. E depois por causa dos seus estudos que vão tão bem.

— Seu Carlos não quer, eu não caso!

— Não quero? Deus me livre, Dores! Pois... eu quero é que você seja feliz. Você gosta dele, naturalmente é rapaz bom...

Falando, o mal-estar em que ficara desde o princípio do diálogo foi se substituindo pela imagem da vizinha costureira. Apoiou-se na imagem e sentiu chão firme.

— Não gosto nem desgosto... Mamãe com papai que quiseram, diz-que é bom partido. É muito simpático, bonzinho...

— Pois seja feliz, Dores. Mas vamos continuar a lição.

E a lição voou apesar duma certa distração na sala. Dolores tocou como nunca. Humilde, riso impassível meio amarelo, muito calma. Seu Gomes saiu satisfeitíssimo.

Eu não devia dizer, Dores... mas é uma pena si você casar logo! Com mais dois anos eu punha você artista, garanto.

— Já falei! é só o senhor não querer que eu não caso, seu Carlos!

— Case sim, Deus me livre agora de andar desmanchando casamento de ninguém! Té mais.

— Té quinta, seu Carlos!

Seu Gomes saiu. Todo coberto de esmeraldas tristes. O mais engraçado é que pouco depois uma pessoa que conhecia bem os Bermudes afirmou pra ele que a Dolores não estava noiva. Não compreendeu e, indagando, ela tornou a afirmar que estava. Então é porque estava e não se incomodou mais com aquilo. Sarambé era ele que não entendia, e não os moços que tiram as moças da casa dos pais! Dolores continuou representando o noivado por mais de mês. Era assunto que lhe permitia dizer que casava com aquele como podia casar com qualquer um e não tinha mais esperanças neste mundo. Um dia apareceu sem aliança na aula.

— Que-dele o anel, Dores?

— Acabou-se tudo, seu Carlos! Agora o senhor pode ficar sossegado que não caso mais, ouviu! Si um dia me casar há-de ser com o consentimento do senhor!

— Mas, Dores, eu não quero tomar essa responsabilidade, não! Olhe, você quer uma palavra de amigo? essas coisas a gente não vai fazendo e desfazendo assim à toa.

— Ah, só pra experimentar um pouco... eu não gostava dele!

— Mas fez o pobre do moço sofrer!

— Ara, isso todos nós sofremos, seu Carlos! Por que a gente não há-de gostar duma pessoa e ser logo correspondida!

E principiou chorando muito nervosa, ali mesmo na sala, podiam ver. Seu Gomes espantadíssimo.

— Que é isso, Dores! não faça assim!

— Ah, seu Carlos!...

— Sossegue, Dores! Pode passar alguém, não fica bonito ver você chorando assim!

Dolores soluçando muito sacudida, apagava esmeraldas no lencinho. Já sorria:

Você tá nervosa, vá pra casa. Olhe: não se esqueça de repassar a *Ave Maria* pra missa de domingo.

— Sei, seu Carlos.

Suspirou fundo que doía, foi-se embora.

Pois não durou nem vinte dias, seu Gomes recebeu o cartão em que "Temos a honra de participar a V. Excia e Exma. Família que contratamos o casamento de nossa adorada filha Dolores Sarti Bermudes com o Sr. Agostinho Nardelli Alonso Bermudes", rua tal etc. Desta vez era certo. Escreveu agradecendo e com os votos.

Casar... é. Seu Gomes já estava com quatrocentos milréis das lições. E com moça boa, trabalhadeira... Mesmo que não ajudasse no ganho, ao menos que fizesse os próprios vestidos... Cento e cinquenta pro aluguel, cento e cinquenta pra comerem. Inda restava cem pro que desse e viesse. Nessa noite seu Gomes teve um sonho bem desagradável. Era uma rua, um beco, tapado por um casarão no fundo. A vizinha estava numa janela alugável aí por uns trezentos milréis por mês. Mas na outra calçada a mãe da Dores sacudia as banhas numa risada sem educação, dizendo: "é muito!" Seu Gomes apesar da vergonha continuou andando e saudou a modista, pra que saudou! Saiu de dentro do chapéu dele um papagaio com um cinzeiro de prata no bico. Dentro do cinzeiro está todo o meu dinheiro, pensava no sonho assustado. Seu Gomes ficou num desespero enorme e resolveu subir pelo poste pra ver si agarrava o papagaio. A vizinha rindo pálido falou assim:

— Quer que ajude?

Seu Gomes implorou:

— Me ajude, Serafina!

Nem bem falou a modista já estava agarrada nas costas dele. Chê... ficou difícil de trepar no poste com mais aquele peso nas costas, ficou impossível de trepar. Também não era preciso mais porque desaparecera o papagaio e estava tão bom que seu Gomes mexia na cama até que o chão se abriu. Seu Gomes com a Serafina caíram e o sonhador acordou com uma sede louca.

Dolores se explicou bem sobre o primeiro noivado secreto. O segundo é que não durou três meses, dona Marina contou pra seu Gomes que tinham desmanchado porque o moço não prestava. Essas coisas não aborreciam seu Gomes porque por uma curiosa inversão de papéis o tímido substituía secretamente a Dolores pela Serafina naquele casa-não-casa e tanto falar em casamento cotidianizava na hesitação dele a evidência do casamento: precisava se casar. E tudo isso prova também que ele não estava de todo inocente a respeito de Dores. Mas o importante no momento era preparar bem o Pugnani-Kreisler pra festa de formatura.

Estava nisso quando a Dores apareceu inquieta na lição. Era nesse tempo que parecia mais magrinha, olhos cada vez mais no fundo, toda a gente imaginando que era o estudo.

Outra aluna estava ali, falou baixinho:

— Preciso falar muito com o senhor!

— Pois fa...

— Fale baixo! Tenho um assunto muito importante pra dizer pro senhor. Vá amanhã na missa e suba no coro, vou tocar. É coisa muito séria, seu Carlos!

Ele reparou que era coisa muito séria mesmo.

Aqueles olhos, aquela boca tremendo entre angústia e autoridade... Passou meio inquieto uma parte da noite. Foi à missa.

Dolores desfiou uma lengalenga muito atrapalhada, cheia de reticências, de vergonhas, que já estavam falando muito deles, que não havia nada, porém o senhor sabe como é boca do mundo, as colegas, seu Carlos!... e os olhos dela encheram-se de lágrimas, as colegas vivem bulindo comigo, que o senhor gosta de mim, mas eu sei que não gosta! foram contar pra seu Marchese, ele mandou me chamar, vive falando pra mim que, quihihi... eu sei que o senhor é tão bom, é tão sério, mas ele vive me falando que o senhor não presta, que está me namorando por causa do meu dinheiro, que ficou muito feio pra mim!... Toda a gente já sabe! que eu devia largar da aula com o senhor, e que depois o senhor não casa comigo, tá só se divertindo, seu Carlos!... eu sei que o senhor é incapaz de me enganar, mas ele mandou chamar mamãe, falou tudo pra ela, ela me deu uma surra, seu... seu Carlos! me deu duas bofetadas na cara, quihi, quihihi... e chorava de não falar mais.

— Mas o que você está me contando, Dores!... Será possível!

— É possível sim! Toda a gente caçoa de mim por causa do senhor! Nunca falei nada porque eu gosto muito do senhor, não quis que o senhor ficasse triste. Sabe! meu noivado desmanchou só por sua causa, foram contar tudo pro Agostinho! outro dia no baile ninguém mais não queria dançar comigo porque diziam que eu estava ocupada! "Ocupada"! seu Carlos! falaram assim mesmo! De já-hoje quando o senhor entrou não viu a cara que a organista fez!...

— Meu Deus! mas si nunca houve nada, Dores! como é que...

— Tenho sofrido, seu Carlos! tenho sofrido muito!... dizem que estou doente, doença nada!... é tudo pro sua causa mesmo!... mas eu sei que o senhor não gosta de mim e não queria que o senhor soubesse disso mas... quihihi... não posso mais!... e mamãe me falou pra mim que quer falar com o senhor...

— Pois falo, Dores! Sempre tratei você como minha aluna e não tenho medo de ninguém!

— Vá amanhã lá em casa mas... seu Carlos! eu não quero largar do senhor! não deixe me darem pra outro professor! com outro eu não estudo mais!....

Seu Gomes olhou com dó aquele corpinho magro estalando. Segurou-lhe as mãos que apertavam os lábios querendo gritar. Quis levantar-lhe a cabeça, porém estava desamparada, tornou a cair pra frente com os lábios colados na mão dele num beijo de fogo molhado. Tirou rápido a mão. Desceu a escadinha do coro, partiu. Estava com a mão insuportável com a lembrança do beijo, estava tonto. Estava nem querendo pensar. Seguia com muita pressa louco pra chegar em casa porque parece mesmo que a casa da gente nos protege de tudo.

Em casa lhe deram o recado que o maestro Marchese pedia pra seu Gomes ir falar com ele, foi.

— Bom dia.

— Bom dia, s'accomodi. Professore, mandei chamar o signore por causa dum assunto molto serio! Il Giacomo é un stabilimento serio! Qui non si fa scherzi com moças, signor professore! Si lei aveva l'intenzione di namorare careceva de andare noutro...

— Seu Marchese, o senhor dobre a língua já, ouviu! O senhor tirou alguma coisa a limpo pra saber si estou namorando, hein! Fique sabendo que eu não estou disposto a aguentar insulto de ninguém e faço o senhor calar a boca já!

— Ma non dzangate! non dzan-ga-te, signor professore! non cé mica male in quello que eu disse! Sei molto bene que lei é honestíssimo ma che posso fare, io! todos falam! S'accomodi, per favore!

— Tou bem de pé.

— Ma non dzangate, signor fessore!... Stó falando sul serio! Sono un povero uomo con quatro figlioli in casa, si! signor professore, che belleza de criancinhas! non posso expulsare questa ragazza Bermudes sinon m'isculhamba tutta la vida! Sono inrovinato, Dio santo! não posso mandare la ragazza s'imbora! é ó non é!...

— Isso é o de menos, seu Marchese... o senhor... ponha a Dolores no seu curso, não me incomodo.

Seu Gomes tinha pensado primeiro em se retirar do Giacomo, porém lembrou dos cem milréis, se acovardou. Pois é: Dolores passava pro curso do outro e tudo se arranjava.

— Ma, signore professore, non basta! Bermudes sta una fera! e io ho paúra dun scandalo!... Bisogna dare una satisfazione a tutto il Bras!...

Seu Gomes estava cansado. Era muito frouxo pra pelejar mais.

— Está bem, seu Marchese, eu saio do Giacomo.

— Bravo! Si vede que lei é um bravo moço! sempre falei pra todos que lei é um bravo moço!

— Já sei. Passe bem.

— Ah, ma o signore si esquece o dinheiro, isto nó! Mancano cinco dias ma il Giacomo paga tutta la mensalitá. Tante grazie, signor professore, tante grazie!... A rivederlo!

Careceu de gritar o "rivederlo", seu Gomes já ia longe. Chegou em casa abatido, nem almoçou. De repente lhe veio aquela vontade de resolver tudo aquele dia mesmo, pegou o chapéu, foi pra casa da Dores.

O violino parou e dois olhos relampearam na sombra da janela. Dolores veio correndo abrir a porta.

— O que foi!

— Quero falar com sua mãe já.

— Sente, seu Carlos. Mamãe não está, mas eu mando chamar, é aqui pertinho! E foi bom porque assim a gente pode combinar primeiro. Maria, vá chamar mamãe na casa de seu Almeida, fale pra ela que seu Gomes está aqui, ela já sabe.

Houve um momento de silêncio. Ela tomara um ar tímido de viada, rostinho baixo. De repente seu Gomes ficou todo coberto de esmeraldas alegres. Dores sorriu:

— Então?...

— Não tem nada, Dores, não se luta com boca de povo. Mas você carece ter paciência também!

A frase deixara a coitadinha supliciada de novo. Seu Gomes sentiu uma vontade de machucar inda mais quem lhe roubava tanto cem mil réis seguros.

— Acabo de ser expulso do Giacomo.

— Seu Carlos!...

Ele ficou com dó. Remediou:

— Não se incomode não! A vida tem mesmo dessas... A gente põe tanta esperança numa coisa ahn... tudo escapa de repente.

Dores Chorando.

— Você que carece de ser enérgica, vai pra outro professor, paciência. Pra que você não continua com o Bastiani! Ao menos vai pra melhor.

— Eu não quero, seu Carlos! não largue de mim!... deixe eu ficar com o senhor!..

Ele estava muito calmo, carinhoso, piorando tudo.

— Tomara eu ficar com você, Dores, mas não pode ser, se acalme! Olhe, você se forma e depois continua com o...

— Não continuo com ninguém! seu Carlos... é mamãe! fale pra ela, o senhor consegue, fale!

A gordura de dona Marina enlambuzou a porta.

— Já está chorando outra vez! que menina... Não se incomode, seu Gomes etc.

Foi uma explicação muito simples, os dois procederam bonito de verdade. A lealdade sem recantos da dona fortificou seu Gomes. Só que um pouco atrapalhados pela Dores que se metia chorando, falando bobices até que dona Marina lhe deu aquele tabefe na boca. Então seu Gomes não pôde suportar!

— Dona Marina, não vim aqui pra ver a senhora bater na sua filha. Acho que não temos mais nada pra explicar. Quanto aos estudos dela, quando a senhora quiser, vá lá em casa que dou a recomendação pro Bastiani, passe bem. Adeus, Dores.

Então é que foi a história. Ela agarrou na mão, no braço dele, olho veio vindo e ficou saltado bem na frente feito holofote verde.

— Não! o senhor não larga de mim! Me leve daqui! é mentira!

Nem podia falar, feito louca.

— É mentira! não largue de mim, eu gosto tanto do senhor! Eu morro! é tudo mentira! Ninguém está falando mal de nós! Fui eu que falei pras colegas! Eu! Eu não posso ficar sem o senhor! Nem que seja só pra estudar! mamãe! Fui eu que falei pro diretor! me deixe com o senhor!...

Era grito já.

Seu Gomes voltou com uma piedade amarga.

— Dores você...

Ela apertou-o nos braços, mais baixa, esfregando o queixo no peito dele. Dona Marina brutaça arrancando a filha.

Seu Gomes com doçura se desenlaçando. Dores gritava, dando cotoveladas na mãe, "Me largue! me largue!", rouca duma vez. "Eu quero ir com ele!..."

Mas seu Gomes bem percebia que agora era tarde pra começar o amor. Havia uma modista inteirinha entre os dois e três anos de costume com a modista no sentimento. Meio sorrindo desapontado:

— Que criançada, Dores!

— Não!!

Foi o grito maior, se escutou da rua. Seu Gomes fugiu pela porta.

Ela ficara parada, presa na cintura pelos braços da mãe, ofegando, boca aberta, cada olho destamanho bem na frente brilhando claro claro. Só deu tento de si com a bofetada. Não ardeu. Nem essa nem as outras nem os cocres e tabefes pelas costas peito cabeça. Foi chorando pra cama, com uma dor de angústia aguda, sem ninguém dentro do corpo.

Mas três meses depois estava curada.

V

TÚMULO, TÚMULO, TÚMULO

(1926)

Belazarte me contou:

Caso triste foi o que sucedeu lá em casa mesmo... Eu sempre falo que a gente deve ser enérgico, nunca desanimar, que se entregar é covardia, porém quando a coisa desanda mesmo, não tem vontade, não tem paciência que faça desgraça parar.

Um tempo andei mais endinheirado, com emprego bom e inda por cima arranjando sempre uns biscates por aí, que me deixavam viver à larga. Dinheiro faz cócega em bolso de brasileiro, enquanto não se gasta não há meios de sossegar, pois imaginei ter um criado só pra mim. Achava gostoso esses pedaços de cinema: o dono vai saindo, vem o criado com chapéu e bengala na mão, "Prudêncio, hoje não bóio em casa, querendo sair, pode. Té logo". "Té logo, seu Belazarte."

Veio um criado mas eu não simpatizava com ele não. Sei lá si percebeu? uma noite pediu a conta e dei graças. Levei uns pares de dias assim, até que indo ver uns terrenos longe, estava no mesmo banco do bonde um tiziu extraordinário de simpático. Que olhos sossegados! você não imagina. Adoçavam tudo que nem verso de Rilke. Desci matutando, vi os terrenos, peguei o mesmo bonde que voltava. Instinto é uma curiosidade: quando o condutor veio cobrar a passagem e percebi que era o mesmo da ida, tive a certeza que o negrinho havia de estar no carro. Olhei pra trás, pois não é que estava mesmo! Encontrei os olhos dele, dito e feito: senti uma doçura por dentro, uma calma lenta, pensei: está aí, disso é que você carece pra criado. Mudei de banco e meio juruviá puxei conversa:

— Me diga ũa coisa, você não sabe por acaso de algum moço que queira ser meu criado? Mas quero brasileiro e preto.

Riu manso, apalpando a vista com a pálpebra. Me olhou, respondendo com voz silenciosa, essa mesma de gente que não pensa nem viveu passado:

— Tem eu, sim senhor. O senhor querendo...

— Eu, eu quero sim, porque não havia de querer? Quanto você pede? Etc. E ele entrou pro meu serviço.

Quando indaguei o nome dele, falou que chamava Ellis.

— Ellis era preto, já disse... Mas uma boniteza de pretura como nunca eu tinha visto assim. Como linhas até que não era essas coisas, meio nhato, porém aquela cor elevava o meu criado a tipo de beleza da raça tizia. Com dezenove anos sem nem um poucadico de barba, a epiderme de Ellis era um esplendor. Não brilhava mas não brilhava nada mesmo! Nem que ele estivesse trabalhando pesado, suor corria, ficava o risco da gota feito rastinho de lesma e só. Bastava que lavasse a cara, pronto: voltava o preto opaco outra vez. Era doce, aveludado o preto de Ellis... A gente se punha matutando que havia de ser bom passar a mão naquela cor humilde, mão que andou todo o dia apertando passe-bem de muito branco emproado e filho da mãe. Ellis trazia o cabelo sempre bem roçado, arredondando o coco. Pixaim fininho, tão fofo que era ver piri de beira-rio. Beiço, não se percebia, negro também. Só mesmo o olhar amarelado, cor de ólio de babosa, é que descansava no meio daquela igualdade perfeita. É verdade que os dentes eram brancos, mas isso raramente se enxergava, porque Ellis tinha um sorriso apenas entreaberto. Estava muito igualado com o movimento da miséria pra andar mostrando gengiva a cada passo. A gente tinha impressão de que nada o espantava mais, e que Ellis via tudo preto, o mesmo preto exato da epiderme.

Como criado, manda a justiça contar que ele não foi inteiramente o que a gente está acostumado a chamar de criado bom. Não é que fosse ruim não, porém tinha seus carnegões, moleza chegou ali, parou. Limpava bem as coisas, mas levava uma vida pra limpar esta janela. E depois deu de sair muito, não tinha noite que ficasse em casa. Mas no sentido de criado moral, Ellis foi sublime. De inteira confiança, discreto, e sobretudo amigo. Quando eu asperejava com ele, escutava tudo num desaponto que só vendo. Sei que eu desbaratava, ia desbaratando, ia ficando sem assunto para desbaratar, meio com dó daquele tão humilde que, a gente percebia, não tinha feito nada por mal. Acabava sendo eu mesmo a discutir comigo:

— Sei bem que de tanto lavar copo vem um dia em que um escapole da mão... Está bom, veja si não quebra mais, oviu?

— Sei, seu Belazarte.

E ficava esperando, jururu que fazia dó. Eu é que encafifava. Com aquele olho de pomba me seguindo, arrulhando pelo meu corpo numa bulha penarosa de carinho batido, eu nem sabia o que fazer. Pegava numa gravata, reparando que tinha pegado nela só pra gesticular, largava da gravata, arranja cabelo, arranja não sei o quê, acabava sempre descobrindo poeira na roupa, ũa mancha, qualquer coisa assim:

— Ellis, me limpe isto.

Ele vinha chegando meio encolhido e limpava. Então olho de babosa pousava em minha justiça, tremendo:

— Está bom assim, seu Belazarte?

— Está. Pode ir.

Ia. Porém ficava rondando. Mesmo que fosse lá no andar térreo trabalhar, me levava no pensamento, ia imaginando um jeito de me agradar. E não tinha mais parada nos agradinhos discretos enquanto eu não ria pra ele. Então gengiva aparecia. Quando chegava de noite já sabe, vinha pedindo pra ir no cinema, eu tinha pena, deixava. E quantas vezes ainda não acabei dando dinheiro pro cinema!

Nesse andar é lógico que eu mesmo estava fazendo arte de ficar sem criado. Foi o que sucedeu. Ellis tomou conta de mim duma vez. Piorar, piorou não, mas já estava difícil de dizer quem era o criado de dois. Sim, porque, afinal das contas quem que é o criado? quem serve ou quem não pode mais passar sem o serviço, digo mais, sem a companhia do outro?

— Ellis, você já sabe ler?... Uhm... acho que vou ensinar francês pra você, porque si um dia eu for pra Europa, não vou sem você.

— Si seu Belazarte for, eu vou também.

Sempre com o mesmo respeito. Às vezes eu chegava em casa sorumbático, moído com a trabalheira do dia, Ellis não falava nada, nem vinha com amolação, porém não arredava pé de mim, descobrindo o que eu queria pra fazer. Foi uma dessas vezes que escutei ele falando no portão pra um companheiro:

— Hoje não, seu Belazarte carece de mim.

Até achei graça. E principiei verificando que aquilo não tinha jeito mais, Ellis não trabalhava. Estava tomando um lugar muito grande em minha vida. Pois então vamos fazer alguma coisa pelo futuro dele, decidi. Entramos os dois numa explicação que me abateu, por causa dos sentimentos desencontrados que me percorreram. Ellis me confessou que pensava mesmo em ser chofer, mas não tinha dinheiro pra tirar a carta. Tive ciúmes, palavra. Secretamente eu achava que ele devia só pensar em ser meu criado. Mas venci o sentimento besta e falei que isso era o de menos, porque eu emprestava os cobres. Só que não pude vencer a fraqueza e, com pretexto de esclarecer, ajuntei:

— Você pense bem, decida e volte me falar. Chofer é bom, dá bem, só que é ofício perigoso e já tem muito chofer por aí. Muitas vezes a gente imagina que faz um giro e faz mas é um jirau. Enfim, tudo isso é com você. Já falei que ajudo, ajudo.

Foi então que ele me confessou que precisava ganhar mais porque estava com vontade de casar.

— Ellis, mas que idade você tem, Ellis!

— Dezenove, sim senhor.

— Puxa! e você já quer casar!

Deu aquele sorriso entreaberto, sossegado:

— Gente pobre carece casar cedo, seu Belazarte, sinão vira que nem cachorro sem dono.

Não entendi logo a comparação. Ellis esclareceu:

— Pois é: cachorro sem dono não vive comendo lixo dos outros?...

Meio que me despeitava também, isso do Ellis gostar de mais outra pessoa que do patrão, porém já sei me livrar com facilidade desses egoísmos. Perguntei quem era a moça.

— É tizia que nem eu mesmo, seu Belazarte. Se chama Dora.

Encabulou, tocando na namorada. Falei mais uma vez pra ele pensar bem no que ia fazer e me comunicasse.

Dias depois ele veio:

— Seu Belazarte... andei matutando no que o senhor me falou, semana atrás...

— Resolveu?

— Pois então a gente pode fazer uma coisa: espero o dia dos anos do senhor e depois saio.

Tive um despeito machucando. Decerto fui duro:

— Está bom, Ellis.

Não se mexeu. Depois de algum tempo, muito baixinho:

— Seu Belazarte...

— O que é.

— Mas... seu Belazarte... eu quero sair por bem da casa do senhor... até a Dora me falou que... me falou que decerto o senhor aceitava ser nosso padrinho...

Custou ele falar de tanta comoção. Olhei pra ele. O ólio de babosa destilava duas lágrimas negras no pretume liso. Me comovi também.

— Sai por bem, é lógico! Não tenho queixa nenhuma de você.

— Quando o senhor quiser alguma coisa, me chame que eu venho fazer. O senhor foi muito bom pra mim...

— Não fui bom, Ellis, fui como devia porque você também foi direito.

Botei a mão no ombro dele pra sossegar o comovido soluçante, estava engasgado o pobre! Sem se esperar, rápido, virou a cara de lado, encolheu o ombro, beijou minha mão, partiu fechando a porta.

Já me sentava outra vez, pensando naquele beijo que fazia a minha mão tão recompensada por toda a humanidade, a porta abriu de leve. E ele, não se mostrando:

— Seu Belazarte, o senhor não falou que aceitava...

Até me ri.

— Aceito, Ellis! Quando que você casa?

— Si arranjar licença logo, caso no 8 de dezembro, sim senhor, dia da Virgem Maria.

Não me logrou, porém logrou a Virgem Maria. Saiu de casa dias depois do meu aniversário, e nem bem dona República fez anos, casou com a Dora, num dia claro que parecia querer durar a vida inteira. Cheguei do casamento com uma felicidade artística dentro de mim. Você não imaginou que coisa mais bonita. Ellis e Dora juntos! Mulatinha lisa, lisa, cor de ouro, isto é, cor de ólio de babosa, cor de olhos de Ellis! E nos olhos então todo esse pretume impossível que o medo põe na cor do mato à noite. Você decerto que já reparou. A gente vê uns olhos de menina boa e jura: "Palavra que nunca vi olho tão preto", vai ver? quando muito olho é cor de fumo de Mapingui. É o receio da gente que bota escureza temível nos olhos desses nossos pecados... Que gostosa a Dora! Era uma pretarana de cabelo acolchoado e corpo de potranquinha independente. Tinha um jeito de não querer, muito fiteiro, um dengue meio fatigado oscilando na brisa, tinha uma fineza de S espichado, que fazia ela parecer maior do que era, uma graça flexível!... Nem sei bem o que é que o corpo dela tinha, só sei que espantava tanto o desejo da gente, que desejo ficava de boca aberta, extasiado, sem gesto, deixando respeitosamente ela passar por entre toda a Cristandade... Dora linda!

Ellis desapareceu uns meses e me esqueci dele. A vida é tão bondosa que nunca senti falta de ninguém. Reapareceu. Foi engraçado até. Me levantei tarde, desci pra beber meu mate, Ellis, no hol encerando.

— Bom dia, seu Belazarte.

— Ué! que que você está fazendo aqui!

— Dona Mariquinha me chamou pra limpar a casa.

— Mas você não está trabalhando então!

— Trabalho, sim senhor, mas a vida anda mesmo dura, seu Belazarte, a gente carece de ir pegando o que acha.

A fúria de casar borrara os sonhos do chofer. Vivia de pedreiro. Mamãe encontrou com ele e se lembrou de dar esse dinheiro semanal pro mendigo quase. Um Ellis esmulambado todo sujo de cal. Dora andava com muito enjoo, coisa do filho vindo. Não trabalhava mais. Ellis com pouco serviço. Estava magro e bem mais feio. De repente uma semana não apareceu. Que é, que não é, afinal veio uma conhecida contar que Ellis tinha adoecido de resfriado, estava tossindo muito, aparecendo uns caroços do lado da cara. Quando vi ele até assustei, era um caroção medonho, parecendo abcesso. Foi no dentista, não sei... dentista andou engambelando Ellis um sem-fim de tempo, começou aparecendo novo caroço do outro lado da cara. Mamãe imaginou que era anemia. Mandamos Ellis no médico de casa, com recomendação. Resultado: estava fraquíssimo do peito e si não tomasse cuidado, bom!

Calvário começou. Ele não sabia bem o que havia de fazer, eu também não podia estar recolhendo dois em casa. Inda mais doentes! Vacas magras também estavam pastando no meu campo nesse tempo... Foi uma tristeza. Ellis andou de cá pra lá, fazendo tudo e não fazendo nada. Mandou buscar a mãe, que vivia numa chacrinha emprestada em Botucatu, foram morar todos juntos na lonjura da Casa Verde, diz-que pra criar galinha e por causa do ar bom. Não arranjaram nada com as galinhas nem com os ares. Vieram pra cidade outra vez. Foram morar perto de casa, num porão, depois eu vi o porão, que coisa! Todos morando no buraco de tatu. Ellis, Dora, a mãe dele e mais dois gafanhotinhos concebidos de passagem.

Ellis voltara pra pedreiro, encerava nossa casa e outras que arranjamos, andou consertando esgotos, depois na Companhia de Gás... Não tinha parada, emagrecendo, não se descobriu remédio que acabasse inteiramente com os caroços.

Meio rindo, meio sério, nem eram bem sete da manhã, um dia apareceu contando que era pai. Vinha participar e:

— Seu Belazarte, vinha também saber si o senhor queria ser padrinho do tiziu, o senhor já está servindo de meu tudo mesmo.

Falei que sim, meio sem gostar nem desgostar, estava já me acostumando. Dei vinte milréis. Mamãe que era a madrinha, andou indo lá no porão deles, arranjando roupas de lã pro desgraçadinho novo.

Nem semana depois, chego em casa e mamãe me conta que Dora tinha adoecido. Pedi pra ela ir lá outra vez, ela foi. Mandamos médico. Dora piorou do dia pra noite, e morreu quem a gente menos imaginava que morresse. Número um.

Agora sim, e a criança? É verdade que a mãe do Ellis tinha inda filho de peito, desmamou o safadinho que já estava errando língua portuguesa, e o leite dela foi mudando de porão.

O dia do batizado, sofri um desses desgostos, fatigantes pra mim que vivo reparando nas coisas. Primeiro quis que o menino se chamasse Benedito, nome abençoado de todos os escravos sinceros, porém a mãe do Ellis resmungou que a gente não devia desrespeitar vontade de morto, que Dora queria que o filho chamasse Armando ou Luiz Carlos. Então pus autoridade na questão e cedendo um pouco também, acabamos carimbando o desgraçadinho com o título de Luiz.

Havia muita lembrança de Dora naquilo tudo, há só dois dias que ela adormecera. Fizemos logo o batizado porque o menino estava muito aniquiladinho.

Engraçado o Ellis... Até hoje não me arrisco a entender bem qual era o sentimento dele pela Dora. Quando veio me comunicar a morte da pobre, até parecia que eu gostava mais dela, com este meu jeito de ficar logo num pasmo danado, sucedendo coisa triste.

— Dora morreu, seu Belazarte.

— Morreu, Ellis!

Nem posso explicar com quanto sentimento gritei. Ellis também não estava sossegado não, mas parecia mais incapacidade de sofrer que tristeza verdadeira. O amarelão dos olhos ficara rodeado dum branco vazio. Dora ia fazer falta física pra ele, como é que havia de ser agora com os desejos? Isso é que está me parecendo foi o sofrimento perguntado do Ellis. E pra decidir duma vez a indecisão, ele vinha pra mim cuja amizade compensava. E seria mesmo por amizade? Aqui nem a gente pode saber mais, de tanto que os interesses se misturavam no gesto, e determinavam a fuga de Ellis pra junto de mim. Eu era amigo dele, não tinha dúvida, porém numa ocasião como aquela não é muito de amigo que a gente precisa não, é mais de pessoa que saiba as coisas. Eu sabia as coisas, e havia de arranjar um jeito de acomodar a interrogação.

...e quem diz que na amizade também não existe esse interesse de ajutório?... Existe, só que mais bonito que no amor, porque interesse está longe do corpo, é mistério da vida silenciosa espiritual. Depois, amor... É inútil os pernósticos estarem inventando coisas atrapalhadas pra encherem o amor de trezentas auroras-boreais: ou caem no domínio da amizade, que também pode existir entre bigode e seios, ou então principiam subtilizando os gestos físicos do amor, caem na bandalheira. Observando, feito eu, amor sem educação, a gente percebe mesmo que nele não tem metafísica: uma escolha proveniente do sentimento que a babosa recebe dum corpo estranho, e em seguida furrum-fum-fum. A força do amor é que ele pode ser ao mesmo tempo amizade. Mas tudo o que existe de bonito nele, não vem dele não, vem da amizade grudada nele. Amor quando enxerga defeito no objeto amado, cega: "Não faz mal"! Mas o amigo sente: "Eu perdoo você". Isso é que é sublime no amigo, essa repartição contínua de si mesmo, coisa humana profundamente, que faz a gente viver duplicado, se repartindo num casal de espíritos amantes que vão, feito passarinhos de voo baixo, pairando rente ao chão sem tocar nele...

Dora era corpo só. E uma bondade inconsciente. Eu não tinha corpo mas era protetor. E principalmente era o que sabia as coisas. Desta vez amor não se uniu com amizade: o amor foi pra Dora, a amizade pra mim. Natural que o Ellis procedesse dessa forma, sendo um frouxo.

Batizado fatigante. Não paga a pena a gente imaginar que todos somos iguais, besteira! Mamãe, por causa da muita religião, imagina que somos. Inventou de convidar Ellis, mãe e tutti quanti pra comer um doce em nossa casa, vieram. Foi um ridículo oprimente pra nós os superiores, e deprimente pra eles os desinfelizes. Estavam esquerdos, cheios de mãos, não sabendo pegar na xícara. E eu então! Qualquer gesto que a gente faz, pegar no pão, na bolacha, pronto: já é diferente por classe da maneira, igualzinha muitas vezes, com que o pobre pega nessas coisas. Parece lição. A gente fica temendo rebaixar o outro e também já não sabe pegar na xícara mais. Custei pra inventar umas frases engraçadas, depois reparei que não tinham graça nenhuma por causa da Dora se dependurando nelas, não deixando a graça rir. De repente fui-me embora.

Não levou nem semana, o desgraçadinho pegou mirrando mais, mirrando e esticou. Número dois.

Ellis nem pôde tratar do enterro. Não é que estivesse penando muito, mas o caroço tinha dado de crescer no lado esquerdo agora. Na véspera tivera uma vertigem, ninguém sabe por que, junto do filho morrendo. Foi pra cama com febrão de quarenta e um no corpo tremido.

Era a tuberculose galopante que, sem nenhum respeito pelas regras da cidade, estava fazendo cento e vinte por hora na raia daquele peito apertado. Quando Ellis soube, virou meu filho duma vez. Mandava contar tudo pra mim. Mas não sei por que delicadeza sublime, por que invenção de amizade, descobriu que não me dou muito bem com a tísica... O certo é que nunca me mandou pedir pra ir vê-lo. Fui. Fui, também uma vez só de passagem, falando que estava na hora de ir pro trabalho. Mas não deixei faltar nada pra ele. Nada do que eu podia dar, está claro, leite de vacas magras.

Durou três meses, nem isso, onze semanas em que me parece foi feliz. Sim, porque virara criança, e talvez pela primeira vez na vida, inventava essas pequenas faceirices com que a gente negaceia o amor daqueles por quem se sabe amado. Mantimento, remédios, roupa, tudo minha mãe é que providenciava pra ele, conforme desejo meu. Pois de sopetão vinha um pedido engraçado, que Ellis queria comer sopa da minha casa, que si eu não podia mandar pra ele ũa meia igualzinha àquela que usara no batizado do desgraçadinho, com lista amarela, outra roxa até em cima... Uma feita mandou pedir de emprestado a almofada que eu tinha no meu estúdio e que, ele mandou dizer, até já estava bem velha. É lógico que almofada foi, porém dadinha duma vez.

Da minha parte era tudo agora gestos mecânicos de protetor, meu Deus! como a vida esperada se mecaniza... Não sei... Ellis creio que não, mas eu já fazia muito que estava acostumado a sentir Ellis morto. E aquela espera da morte já pra mim era bem ũa morte longa, um andar na gandaia dentro da morte, que não me dava mais que uma saudade cômoda do passado. Era amigo dele, juro, mas Ellis estava morto, e com a morte não se tem direito de contar na vida viva. Ele, isso eu soube depois, ele sim, estava vivendo essa morte já chegada, numa contemplação sublime do passado, única realidade pra ele. Dora tinha sido uma função. A vida prática não fora sinão comer, dormir, trabalhar. No que se agarraria aquele morto em férias! Em mim, é lógico. Isso eu soube depois... Levava o dia falando no amigo, pensando no amigo. E todas aquelas faceirices de pedidos e vontadinhas de criança, não passavam de jeitos de se recordar mais objetivamente de mim. De se aproximar de mim, que não ia vê-lo.

Cheguei em casa pra almoçar, a mãe do Ellis viera dizer que ele estava me chamando, não gostei nada. Si agora ele principiava pedindo mais isso, eu que tenho um bruto horror de tísica... Enfim mandei a criada lá, que depois do almoço ia.

Quando cheguei na porta, os uivos da mãe dele me deram a notícia inesperada. Sim, inesperada, porque já estava acostumado a ficar esperando e perdera a noção de que o esperado havia mesmo de vir. Entrei. Estavam uma italianona vermelha de tanto choro por tabela e dois tizius fumando.

— Morreu!

— Ahm, su Beladzarte, tanto que o povero está chamando o sinhore!

— Mas já morreu, é!

— Que esperandza! desde manhãzinha está cham...

— Onde ele está?

Um dos tizius.

— Está lá dentro, sim senhor.

Jogou o cigarro e foi mostrando caminho. Segui atrás.

Pulei por cima dos uivos saindo duma furna que nunca viu dia, e lá numa sala mais larga, com entrada em arco sem porta dando pro quintal interior, num canto invisível, chorava uma vela, era ali. Ellis vasquejava com as borlas dos caroços dependurados pros lados, medonho de magro. Estava morrendo desde manhã, sempre chamando por mim.

— Mas por que não me avisaram!

Eram não sei quantas vezes que agarravam a vela nas mãos dele já em cruz, pra sempre fantasiadas de morte. De repente soluço parava. O moribundo engulia em seco e pegava me chamando outra vez. Afinal parara de chamar fazia mais de hora. Parece que a coisa estava chegando. Falei baixo, sem querer me acomodando com o silêncio da morte:

— Ellis!... ôh Ellis!

Nada. Só o respiro serrando na madeira seca da garganta. Os outros me olhavam, esperando o bem que eu ia fazer pro coitado. Até parecia que o importante ali era eu. Insisti, lutando com a amizade da morte, mais uniforme que a minha. Com mentira e tudo, até me parece que eu insistia mais pra vencer a predominância da morte, e aqueles assistentes não me verem perder numa luta. Botei a mão na testa morna de Ellis, havia de me sentir.

— Ellis! sou eu, Ellis!... Sossegue que já cheguei, ouviu! Estou juntinho de você, ouviu!... Ellis!

O soluço parou.

— Pronto! Ansim que está fatchendo desde de manhan, ô povero!... Tira áa vela, Maria!

— Deixe a vela, ôh Ellis!

Ellis abriu as pálpebras, principiou abrindo, parecia que não parava mais de as abrir. Ficaram escancaradas mas ólio de babosa não vê que escorrendo mais! pupilas fixas, retas, frechando o teto preto. Pus minha cara onde elas me focalizassem.

— Estou aqui, Ellis! Não tenha medo! você está me enxergando, hein!

— Está sim, seu Belazarte. Viu! desde manhã que está de olho fechado. Ele queria muito be... bem o senhor! também... também o senhor tem sido muito bom pro coitado... de meu filho, ai! ... aaai! meu filho está morrendo, ahn! ahn! ahn!...

— Ellis! você está precisando de alguma coisa, hein! Eu faço!

A gelatina me recebia sem brilhar. As pálpebras foram cerrando um bocado. Instintivamente apressei a fala, pra que os olhos inda recebessem meu carinho:

— Eu faço tudo pra você! não quero que te falte nada, ouviu bem!

Os olhos se esconderam de todo com muita calma.

— Meu filho morreu! ai, ai!... Aaai!...

Tive um momento de desespero porque Ellis não dava sinal de me sentir. Insisti mais, ajoelhando junto da cama.

— Ora, o que é isso, Ellis!...

— Ahan... só falava no senhor, ahn... ontem mesmo disse pra mim, ahan, que, ahn, melhorando cavava um poço... fundo, aáin... pra enterrar todos os mi... micróbios pra despois, pedir pra morar, ahn... no porão da casa do senhor... aai!

— Levem ela! não vale a pena ele estar escutando esse choro!

Transportaram os uivos. Estaria escutando ainda? Insisti numa esperança exacerbada pela anedota da negra, sem querer, perverso, voz pura, doce de carícia:

— Ellis! você não me responde mesmo!

Abriu um pouco os olhos outra vez. Me via!

...foi tão humilde que nem teve o egoísmo de sustentar contra mim a indiferença da morte. O olhar dele teve uma palpitação franca pra mim. Ellis me obedecia ainda com esse olhar. Fosse por amizade, fosse por servilismo, obedeceu. Isso me fez confundir extraordinariamente com os manejos da vida, a morte dele. Desapareceu mistério, fatalidade, tudo o que havia de grandioso nela. Foi ũa morte familiar.

Foi ũa morte nossa, entre amigos, direitinho aquele dia em que resolvemos, meu aniversário passado, ele ir buscar o casamento e a choferagem de ganhar mais.

Cerrava os olhos calmo. Pesei a mão no corpo dele pra que me sentisse bem. Ao menos assim, Ellis ficava seguro de que tinha ao pé dele o amigo que sabia as coisas. Então não o deixaria sofrer. Porque sabia as coisas...

Número três.

VI

PIÁ NÃO SOFRE? SOFRE

(1926)

Belazarte me contou:

Você inda está lembrado da Teresinha? aquela uma que assassinou dois homens por tabela, os manos Aldo e Tino, e ficou com dois filhos quando o marido foi pra correição?... Parece que o sacrifício do marido tirou o mau-olhado que ela tinha: foi desinfeliz como nenhuma, porém ninguém mais assassinou por causa dela, ninguém mais penou. Só que o Alfredo lá ficou no palácio chique da Penitenciária ruminando os vinte anos de prisão que a companheira fatalizada tinha feito ele engolir. Injustiça, amargura, desejo... tantas coisas que muito bucho não sabe digerir com paciência, resultado: o Alfredo teve uma dessas indigestões tamanhas de desespero que ficou dos hóspedes mais incômodos da Penitenciária. Ninguém gostava dele, e o amargoso atravessava o tempo do castigo num areião difícil e sem fim de castiguinhos. Estou perdendo tempo com ele.

A Teresinha sofria, coitada! ainda semiboa no corpo e com a pabulagem de muitos querendo intimidades com ela ao menos por uma noite paga. Recusou, de primeiro pensando no Alfredo gostado, em seguida pensando no Alfredo assassino. Estava já no quase, porém vinha sempre aquela ideia do Alfredo saindo da correição com uma faca nova pra destripá-la. E a virtude se conservava num susto frio, sem nenhum gosto de existir. Teresinha voltava pra casa com uma raiva desempregada, que logo descarregava na primeira coisa mais frouxa que ela. Enxergava a mãe morrendo em pé por causa da velhice temporã, pondo cinco minutos pra recolher uma ceroula do coaral, pronto: atirava a trouxa de roupa suja na velha:

— A senhora é capaz que vai dormir com a ceroula na mão!

Entrava. Podia-se chamar de casa aquilo! Era um rancho de tropeiro onde ninguém não mora, de tão sujo. Dois aspetos de cadeira, a mesa e a cama. No assoalho havia mais um colchão, morado pelas baratas que de noite dançavam na cara da velha, o torê natural dos bichinhos desta vida.

No outro quarto ninguém dormia. Ficou feito cozinha dessa família passando muitas vezes dois dias sem fósforo acendido. Porque fósforo aceso quer dizer carvão no fogãozinho portátil e algum desses alimentos de se cozinhar. E muitas vezes não havia alimento de se cozinhar... Mas isso não fazia mal pro dicionário da Terezinha e da mãe, fogareiro não estava ali? E o dicionário delas dera pra aqueles estreitos metros cúbicos de ar mofado o nome estapafúrdio de cozinha.

Nessa espécie de tapera a moça vivia com a mãe e o filhote de sobra. De sobra em todos os sentidos, sim. Sobrava porque afinal amor pra Teresinha, meu Deus! vivendo entre injustiças de toda a sorte, desejando homem pro corpo e não tendo, se esquecendo do Alfredo gostado pelo Alfredo ameaçando e já com morte na consciência... E só tendo na mão consolada pela água pura, ceroulas, calças, meias com mais de sete dias de corpo suado... E além do mais, odiando uns fregueses sempre devendo a semana retrasada... Tudo isso a Teresinha aguentava. E pra tampar duma vez todos os vizinhos do amor, inda por cima chegava a peste da sogra amaldiçoada, odiada, mas desejada por causa dos dez milréis deixados mensalmente ali. A figlia dun cane vinha, emproada porque tinha de seu aí pra uns trinta contos, nem sei, e desbaratava com ela por um nadinha.

Podia ter amor ũa mulher feita, com trinta anos de seca no prazer, corpo cearense e alma ida-se embora desde muito!... E o Paulino, fazia já quase quatro anos, dos oito meses de vida até agora, que não sabia o que era calor de peito com seio, dois braços apertando a gente, uma palavra "figliuolo mio" vinda em cima dessa gostosura, e a mesma boca enfim se aproximando da nossa cara, se ajuntando num chupão leve que faz bulha tão doce, beijo de nossa mãe...

Paulino sobrava naquela casa.

E sobrava tanto mais, que o esperto do maninho mais velho quando viu que tudo ia mesmo por água abaixo, teve um anjo da guarda caridoso que depositou na língua do felizardo o micróbio do tifo. Micróbio foi pra barriguinha dele, agarrou tendo filho e mais filho a milhões por hora. e nem passaram duas noites, havia lá por dentro um footing tal da microbiana marchadeira, que o asfaltinho das tripas se gastou. E o desbatizado foi pro limbo dos pagãos sem culpa. Sobrou Paulino.

É lógico que ele não podia inda saber que estava sobrando assim tanto neste mundo duro, porém sabia muito bem que naquela casa não sobrava nada pra comer. Foi crescendo na fome, a fome era o alimento dele. Sem pôr consciência nos mistérios do corpo, ele acordava assustado. Era o anjo... que anjo da guarda! era o anjo da malvadeza que acordava Paulino altas horas pra ele não morrer. O desgraçadinho abria os olhos na escuridão cheirando ruim do quarto, e inda meio que percebia que estava se devorando por dentro. De primeiro ele chorava.

— Stá zito, guaglion!

Que "stá zito" nada! Fome vinha apertando... Paulino se levantava nas pernas de arco, e balanceando chegava afinal junto à cama da mãe. Cama... A cama grande ela vendeu quando esteve uma vez com a corda na garganta por causa do médico pedindo aquilo ou vinte bagarotes pela cura do pé arruinado. Deu os vinte vendendo a cama. Cortou o colchão pelo meio e botou a metade sobre aqueles três caixões. Essa era a cama.

Teresinha acordava da fadiga com a mãozinha do filho batendo na cara dela. Ficava desesperada de raiva. Atirava a mão no escuro, acertasse onde acertasse, nos olhos na boca do estômago, pláa!... Paulino rolava longe com uma vontade legítima de botar a boca no mundo. Porém o corpo lembrava duma feita em que a choradeira fizera o salto do tamanco vir parar mesmo na boca dele, perdia o gosto de berrar. Ficava choramingando tão manso que até embalava o sono da Teresinha. Pequenininho, redondo, encolhido, talqualmente tatuzinho de jardim.

O sofrimento era tanto que acabava desprezando os pinicões da fome, Paulino adormecia de dor. De madrugada, o tempo esfriando acordava o corpo dele outra vez. Meio esquecido, Paulino espantava de se ver dormindo no assoalho, longe do colchão da vó. Estava com uma dorzinha no ombro, outra dorzinha no joelho, outra dorzinha na testa, direito do lugar encostado no chão. Percebia muito pouco as dorzinhas, por causa da dor guaçu do frio. Engatinhava medroso, porque a escureza estava já toda animada com as assombrações da aurora, abrindo e fechando o olho das frestas. Espantava as baratas e se aninhava no calor ilusório dos ossos da avó. Não dormia mais.

Afinal, ali pelas seis horas, já familiarizado com a vida por causa dos padeiros, dos leiteiros, dos homens cheios de comidas que passavam lá longe, um calor custoso nascia no corpo de Paulino. Porém a mãe também já estava acordando com as bulhas da vida. Sentada, vibrando com a sensualidade matinal que bota a gente louco de vontade, a Teresinha quase se arrebentava, apertando os braços contra a peitaria, o ventre e tudo, forçando tanto uma perna contra a outra que sentia uma dor nos rins. Nascia nela esse ódio impaciente e sem destino, que vem da muita virtude conservada a custo de muita miséria, virtude que ela mesma estava certa, mais dia menos dia tinha de se acabar. Procurava o tamanco, dando logo o estrilo com a mãe, "si não sabia que não era mais hora de estar na cama", que fosse botar água na tina, etc.

Então Paulino, antes das duas mulheres, abandonava o calor nascente do corpo. Ia já rondar a cozinha porque estava chegando o momento mais feliz da vida dele: o pedaço de pão. E que domingo pra Paulino quando, porque um freguês pagou, porque a sogra apareceu, coisa assim, além do pão, bebiam café com açúcar!... Chupava depressa, queimando a língua e os beicinhos brancos, aquela água quente, sublime de gostosa por causa duma pitadinha de café. E saía comer o pão lá fora...

Na frente da casa não, era lá que ficavam a torneira, as tinas e o coaral. As mulheres estavam fazendo suas lavagens de roupa e era ali na piririca: briga e descompostura o tempo todo. Quem pagava era o reinação do Paulino. Acabava sempre com um pão mal comido e algum cocre da inhapa bem no alto do coco, doendo fino.

Deixou de ir para lá. Abria a porta só encostada da cozinha, descia o degrau, ia correndo se rir pra alegria do frio companheiro, por entre os tufos de capim e as primeiras moitas de carrapicho. Esse matinho atrás da casa era a floresta. Ali Paulino curtia as penas sem disfarce. Sentado na terra ou dando com o calcanhar nos olhos dos formigueiros, principiava comendo. De repente quase caía levantando a perninha, ai! do chão, pra matar a saúva ferrada no tornozelinho de bico. Erguia o pão caído e recomeçava o almoço, achando graça no requetreque que a areia ficada no pão, ganzava agora nos dentinhos dele.

Mas não esquecia da saúva não. Pão acabado, surgia, distraindo a fome nova, o guerreiro crila. Procurava uma lasca de pau, ia caçar formigas no matinho. Afinal, matinho não muito pequeno porque dava atrás na várzea, e não havia sinão um lembrete de cerca fechando o terreno. Mas nunca Paulino penetrou na várzea que era grande demais pra ele. Lhe bastava aquele matinho gigante, sem planta com nome, onde o sol mais preguiça nunca deixava de entrar.

Graveto em punho lá ia em busca de saúva. As formiguinhas menores, não se importava com elas não. Só arremetia contra saúva. Quando achava uma, perseguia-a paciente, rompendo entre os ramos entrançados dos arbustos, donde muitas vezes voltava com a mão, a perna ardendo por ter relado nalgum mandarová. Trazia a saúva pro largo e levava horas brincando com a desgraçadinha até a desgraçadinha morrer.

Quando ela morria, o sofrimento recomeçava pra Paulino, era fome. O sol já estava alto, porém Paulino sabia que só depois das fábricas apitarem havia de ter feijão com arroz nos tempos ricos, ou novo pedaço de pão nos tempos felizmente mais raros. Batia uma fome triste nele que outra saúva combatida não conseguia distrair mais. Banzava na desgraça, melancolizado com a repetição do sofrimento quotidiano. Sentava em qualquer coisa, descansando a bochecha na mão, cabeça torcidinha, todo penaroso. Afinal, nalguma sombra rendada, aprendeu a dormir de fome. Adormecia. Sonhava não. As moscas vinham lhe bordando de asas e zumbidos a boquinha aberta, onde um resto de adocicado ficou. Paulino dormindo fecha de repente os beiços cacteados, se mexe, abre um pouco as perninhas encolhidas e mija quente em si.

Sono curto. Acordou muito antes das fábricas apitarem. Mastigou a boca esfomeada, recolheu com a língua os sucos perdidos nos beiços. Requetreque de areia e uma coisinha meio doce no paladar. Tirou com a mão pra ver o que era, eram duas moscas. Moscas sim, porém era meio adocicado. Tornou a botar as moscas na língua, chupou o gostinho delas, engoliu.

Foi assim o princípio dum disfarce da fome por meio de todas as coisas engolíveis do matinho. Não tardou muito e virou "papista" como se diz: trocou a caça da saúva pelos piqueniques de terra molhada. Comer formiga então... Junto dos montinhos dos formigueiros encostava a cara no chão com a língua pronta. Quando formiga aparecia, Paulino largava a língua hábil, grudava nela a formiga, e a esfregando no céu da boca sentia um redondinho infinitesimal. Punha o redondinho entre os dentes, trincava e engolia o cuspe ilusório. E que ventura si topava com alguma correição! De gatinhas, com o fioló espiando as nuvens, lambia o chão tamanduamente. Apagava uma carreira viva de formiga em três tempos.

Nessa esperança de matar a fome, Paulino foi descendo a coisas nojentas. Isto é, descendo, não. Era incapaz de pôr jerarquia no nojo, e até o último comestível inventado foi formiga. Porém não posso negar que uma vez até uma barata... Agarrou e foi-se embora mastigando, mais inocente que vós filhos dos nojos. Porém, compreende-se: eram alimentos que não davam sustância nenhuma. Fábrica apitava e o arroz com feijão vinha achar

Paulino empanturrado de ilusões, sem fome. Pegou aniquilando, escurecendo que nem dia de inverno.

Teresinha não reparava. O buçal da virtude estava já tão gasto que via-se o momento da moça desembestar livre, vida fora. Foi o tempo em que tapa choveu por todas as partes de Paulino cegamente, caísse onde caísse. Quando ela vinha pra casa já escutava a campainha do Fernandez, carroceiro. Era um mancebo de boa tradição, desempenado, meio lerdo, porém com muita energia. Devia de ter vinte e cinco anos, si tinha! e se engraçou pela envelhecida, quem quiser saiba porque. Buçal arrebentou. Quando ele pôde carregar a trouxa pra ela, veio até a casa, entrou que nem visita, e Teresinha ofereceu café e consentimento. A velha, sujando a língua com os palavrões mais incompreensíveis, foi dormir na cozinha com Paulino espantado.

Em todo caso a boia melhorou, e o barrigudinho conheceu o segredo da macarronada. Só que tinha muito medo do homem. Fernandez fizera uma festinha pra ele na primeira aparição, e quando saiu do quarto de manhã e beberam café todos juntos, Paulino confiado foi brincar com a perna comprida do homem. Mas tomou com um safanão que o fez andar de orelha murcha um tempo.

É lógico que a sogra havia de saber daquilo, soube e veio, Teresinha muito fingida falou bom-dia pra ela e a mulatona respondeu com duas pedras na mão. Porém agora Teresinha não carecia mais da outra e repricou, assanhada feito irara. Bate boca tremendo! Paulino nem tinha pernas pra abrir o pala dali, porque a velha apontava pra ele, falando "meu neto" que mais "meu neto" sem parada. E mandava que Teresinha agora se arranjasse, porque não estava pra sustentar cachorrice de italiana acueirada com espanhol. Teresinha secundava gritando que espanhol era muito mais milhor que brasileiro, sabe! sua filha de negro! mãe de assassino! Não careço da senhora, sabe! mulata! mulatona! mãe de assassino!

— Mãe de assassino é tu, sua porca! Tu que fez meu filho sê infeliz, maldiçoada do diabo, carcamana porca!

— Saia já daqui, mãe de assassino! A senhora nunca se amolou com seu neto, agora vem com prosa aí! Leve seu neto si quiser!

— Pois levo mesmo! coitadinho do inocente que não sabe a mãe que tem, sua porca! porca!

Suspendeu Paulino esperneando, e lá se foi batendo salto, ajeitando o xale de domingo, por entre as curiosas raras do meio-dia. Inda virou, aproveitando a assistência pra mostrar como era boa:

— Escute! Vocês agora, não pago mais aluguel de casa pra ninguém, ouviu! Protegi você porque era mulher de meu filho desgraçado, mas não tou pra dar pouso pra égua, não!

Mas a Teresinha, louca de ódio, já estava olhando em torno pra encontrar um pau, alguma coisa que matasse a mulatona. Esta achou milhor partir duma vez, triunfante ploque ploque.

Paulino ia ondulando por cima daquelas carnes quentes. Chorava assustado, não tendo mais noção da vida, porque a rua nunca vista, muita gente, aquela mulher estranha e ele sem mãe, sem pão, sem matinho, sem vó... não sabia mais nada! meu Deus! como era desgraçado! Teve um medo pavoroso no corpinho azul. Inda por cima não podia chorar à vontade porque reparara muito bem, a velha tinha um sapatão com salto muito grande, pior que tamanco. Devia de ser tão doído aquele salto batendo no dentinho, rasgando o beiço da gente... E Paulino horrorizado enfiava quase as mãozinhas na boca, inventando até bem artisticamente a função da surdina.

— Pobre de meu neto!

Com a mão grande e bem quente pegou na cabecinha dele, ajeitando-a no pescoço de borracha. Carregado gostoso naqueles braços bons, com o xale dando mais quentura pra gente ser feliz... E a velha olhou pra ele com olhos de piedade confortante... Meu Deus! Que seria aquilo tão gostoso!... é assomo de ternura Paulino. A velha apertou-o no peito abraçando, encostou a cara dele, e depois deu beijos, beijos, revelando pro piá esse mistério maior.

Paulino quis sossegar. Pela primeira vez na vida o conceito de futuro se alargou até o dia seguinte na ideia dele.

Paulino sentiu que estava progredindo e no dia seguinte havia de ter café com açúcar na certa. Pois a velha não chegara a ajuntada bem na cara dele e não dera chupão que barulhava bom? Dera. E a ideia de Paulino se encompridou até o dia seguinte, imaginando um canecão do tamanho da velha cheinho de café com açúcar. Foi se rir pras lágrimas piedosas dela, porém bem no meio da gota apareceu uma botina que foi crescendo, foi crescendo e ficou com um tacão do tamanho da velha. Paulino reprincipiou chorando baixo, que nem nas noites em que o acalanto da manhã embalava o sono da Terezinha.

— Ara! também agora basta de chorar! Ande um pouco, vamos!

O salto da botina encompridou enormemente e era a chaminé do outro lado da rua. O pranto de Paulino parou, mas parou engasgado de terror. Chegaram.

Esta era uma casa de verdade. Entrava-se no jardinzinho com flor que até dava vontade de arrancar as sempre-vivas todas, e, subida a escadinha, havia uma sala com dois retratos grandes na parede. Um homem e uma mulher que era a velha. Cadeiras, uma cadeira grande cabendo muita gente nela. Na mesinha do meio um vaso com uma flor cor-de-rosa que nunca murchou. E aquelas toalhinhas brancas nas cadeiras e na mesa, que devia distrair a gente cortando tantas bolotinhas...

O resto da casa assombrou desse mesmo jeito o despatriado. Depois apareceram mais duas moças muito lindas, que sempre viveram de saia azul-marinho e blusa branca. Olharam duras pra ele. Aqueles quatro olhos negros desceram lá do alto e tuque! deram um cocre na alma de Paulino. Ele ficou tonto sem movimento, grudado no chão.

Daí foi uma discussão terrível. Não sei o que a velha falou, e uma das normalistas respondeu atravessado. A velha asperejou com ela falando no "meu neto". A outra respondeu gritando e uma tormenta de "meu neto" e "seu neto" relampagueou alto sobre a cabeça de Paulino. A história foi piorando. Quando não teve mais agudos pras três vozes subirem, a velha virou um bofete na filha da frente, e a outra fugindo escapou de levar com a colher bem no coco.

A invenção de Paulino não podia ajuntar mais terrores. E o engraçado é que o terror pela primeira vez despertou mais a inteligência dele. O conceito de futuro que fazia pouco atingira até o dia seguinte, se alongou se alongou até demais, e Paulino percebeu que entre raivas e maus tratos havia de passar agora o dia seguinte inteiro e o outro dia seguinte e outro e nunca mais haviam de parar os dias seguintes assim. É lógico: sem ter a soma dos números, mais de três mil anos de dias seguintes sofridos ajuntaram no susto do piá.

— Vá erguer aquela colher!

As metades do arco se moveram ninguém sabe como, Paulino levantou a colher do chão que deu pra velha. Ela guardou a colher e foi lá dentro. A varanda ficou vazia. Estava tudo arranjado, e as sombras da tarde rápida entravam apagando as coisas desconhecidas. Só a mesa do centro inda existia nitidamente, riscada de vermelho e branco. Paulino foi se encostar na perna dela. Tremia de medo. Chiava um cheiro gostoso lá dentro, e da sombra da varanda um barulhinho monótono, tique-taque, regulava as sensações da gente. Paulino sentou no chão. Uma calma grande foi cobrindo o pensamento aniquilado: estava livre do tacão da velha. Ela não era que nem a mãe não. Quando tinha raiva não atirava botina, atirava uma colher levinha, brilhando de prateada. Paulino se encolheu deitado, encostando a cabeça no chão. Estava com um sono enorme de tanto cansaço nos sentimentos. Não havia mais perigo de receber com tamanco no dentinho, a mulatona só atirava aquela colher prateada. E Paulino ignorava si colher doía muito batendo na gente. Adormeceu bem calmo.

— Levante! que é isso agora! Como esse menino deve ter sofrido, Margot! Olhe a magreira dele!

— Pudera! com a mãe na gandaia, festando dia e noite, você queria o que, então!

— Margot... você sabe bem certo o que quer dizer puta, hein? Eu acho que a gente pode falar que Paulino é filho da puta, não?

Se riram.

— Margot!

— Senhora!

— Mande Paulino aqui pra dar comida pra ele!

— Vá lá dentro, menino!

As pernas de arco balançaram mais rápidas. Uma cozinha em que a gente não podia nem se mexer. A velha boa inda puxou o capacho da porta com o pé:

— Sente aí e coma tudo, ouviu!

Era arroz com feijão. A carne, Paulino viu com olho comprido ela desaparecer na porta da varanda. Menino de quatro anos não come carne, decerto imaginou a velha, meio em dificuldades, sempre com a educação das filhas.

E a vida mudou de misérias pra Paulino, mas continuou a sempre miserável. Boia melhorou muito e não faltava mais, porém Paulino estava sendo perseguido pelos vícios do matinho. Nunca mais a mulatona teve daqueles assomos de ternura do primeiro dia, era uma dessas cujo mecanismo de vida não difere muito do cumprimento do dever. Aquele beijo fora sincero, mas apenas dentro das convenções da tragédia. Tragédia acabara e com ela a ternura também. E no entanto ficara muito em Paulino a saudade dos beijos...

Quis se chegar pras moças porém elas tinham raiva dele, e podendo, beliscavam. Assim mesmo a mais moça, que era uma curiosa do apá virado e nunca tirava as notas de Margot na escola, Nininha, é que tomara pra si dar banho no Paulino. Quando chegava no sábado, o pequeno meio espantado e muito com medo de beliscão, sentia as carícias dum rosto lindo em fogo se esfregando no corpinho dele. Acabava sempre aquilo, a menina com uma raiva bruta, vestindo depressa a camisolinha nele, machucando, "fica direito, peste!" pronto: um beliscão que doía tanto, meu Deus!

Paulino descia a escada da cozinha, ia muito jururu pelo corredorzinho que dava no jardim da frente, puxava com esforço o portão sempre encostado, sentava, punha a mão na bochecha, cabecinha torcida pro lado e ficava ali, vendo o mundo passar.

E assim, entre beliscões e palavras duras que ele não entendia nada, "menino foqueto", "filho de assassino", ele também passava feito o mundo: magro escuro terroso, cada vez se aniquilando mais. Mas o que que havia de fazer? Bebia o café e já falavam que fosse comer o pão no quintal sinão, porco! sujava a casa toda. Ia pro quintal, e a terra estava tão úmida, era uma tentação danada! Nem ele punha reparo que era uma tentação porque nenhum cocre, nenhuma colherada, o proibira de comer terra. Treque-trrleque, mastigava um bocadinho, engolia, mastigava outro bocadinho, engolia. E ali pelas dez horas sempre, com a pressa das normalistas assombrando a calma da vida, tinha que assentar naquele capacho pinicando, tinha que engolir aquele feijão com arroz num fastio impossível...

— Minha Nossa Senhora, esse menino não come! Oi só com que cara ele olha pra comida! Pra que que tu suja a cara de terra desse jeito, hein, seu porcalhão!

Paulino assustava, e o instinto fazia ele engolir em seco esperando a colherada nunca vinda. Porém desta vez a velha tivera uma iluminação no mecanismo:

— Será que!... Você anda comendo terra, não ! Deixe ver!

Puxou Paulino pra porta da cozinha, e com aquelas duas mãos enormes, queimando de quentes:

— Abra a boca, menino!

E arregaçava os beiços dele. Terra nos dentinhos, na gengiva.

— Abra a boca, já falei!

E o dedo escancarava a boquinha terrenta, língua aparecendo até a raiz, todinha da cor do barro. A sova que Paulino levou nem se conta! Principiou com o tapa na boca aberta, que até deu um som engraçado, bóo! e não posso falar como acabou de tanta mistura de cocre beliscão palmadas. E palavriado, que afinal pra criancinha é tabefe também.

Então é que principiou o maior martírio de Paulino. Dentro da casa, nenhuma queria que ele ficasse, tinha mesmo que morar no quintal. Antes do pão porém, já vinha uma sova de ameaças, tão dura, palavra de honra: Paulino descia a escadinha completamente abobado, sentindo o mundo bater nele. E agora?... Pão acabou e a terra estava ali toda oferecida chamando. Mas aquelas três beliscadoras não queriam que ele comesse a terra gostosa... Oh tentação pro pobre santantoninho! queria comer e não podia. Podia, mas depois lá vinha de hora em hora o dedão da velha furando a boquinha dele... Como!... Não como!... Fugia da tentação, subia a escadinha, ficava no alto sentado, botando os olhos na parede pra não ver. E a terra sempre chamando ali mesmo, boa, inteirinha dele, cinco degraus fáceis embaixo...

Felizmente não sofreu muito não. Três dias depois, não sei si brincou na porta com os meninos de frente, apareceu tossindo. Tosse aumentou, foi aumentando, e afinal Paulino escutou a velha falar, fula de contrariedade, que era tosse de cachorro. Si haviam de levar o menino no médico, em vez, vamos dar pra ele o xarope que dona Emília ensinou. Nem xarope de dona Emília, nem os cinco milréis ficados no boticário mais chué do bairro, sararam o coitadinho. Tinha mesmo de esperar a doença, de tanto não encontrando mais sonoridade pra tossir, ir-se embora sozinha.

O coitado nem bem sentia a garganta arranhando, já botava as mãozinhas na cabeça, inquieto muito! engolindo apressado pra ver si passava. Ia procurando parede pra encostar, vinha o acesso. Babando, olho babando, nariz babando, boca aberta não sabendo fechar mais, babando numa conta. O coitadinho sentava no lugar onde estava, fosse onde fosse porque sinão caía mesmo. Cadeira girava, mesa girava, cheiro de cozinha girava. Paulino enjoado atordoado, quebrado no corpo todo.

— Coitado. Olhe, vá tossir lá fora, você está sujando todo o chão, vá!

Ele arranjava jeito de criar força no medo, ia. Vinha outro acesso, e Paulino deitava, boca beijando a terra mas agora sem nenhuma vontade de comer nada. Um tempo estirado passava. Paulino sempre na mesma posição. Corpo nem doía mais, de tanto abatimento, cabeça não pensando mais, de tanto choque aguentado. Ficava ali, e a umidade da terra ia piorar a tosse e havia de matar Paulino. Mas afinal aparecia uma forcinha, e vontade de levantar. Vai levantando. Vontade de entrar. Mas podia sujar a casa e vinha o beliscão no peitinho dele. E não valia de nada mesmo, porque mandavam ele pra fora outra vez...

Era de tarde, e os operários passavam naquela porção de bondes... enfim divertia um bocado pelo menos os olhos ramelosos. Paulino foi sentar no portão da frente. A noite caía agitando vida. Um ventinho poento de abril vinha botar a mão na cara da gente, delicado. O sol se agarrando na crista longe da várzea, manchava de vermelho e verde o espaço fatigado. Os grupos de operários passando, ficavam quase negros contra a luz. Tudo estava muito claro e preto, incompreensível. Os monstros corriam escuros, com moços dependurados nos estribos, badalando uma polvadeira vermelha na calçada. Gente, mais monstros e os cavalões nas bonitas carroças.

Nesse momento a Teresinha passou. Vinha nuns trinques, só vendo, sapato amarelado e meia roseando uma perna linda mostrada até o joelho. Por cima um vestido azul-claro mais lindo que o céu de abril. Por cima a cara da mamãe, que beleza! com aquele cabelo escuro fazendo um birote luzido, e os bandós azulando de napolitano o moreno afogueado pelas cores de Paris.

Paulino se levantou sem saber, com uma burundanga inexplicável de instintos festivos no corpo, "Mamma!" que ele gritou. Teresinha virou chamada, era o figliuolo. Não sei o que despencou na consciência dela, correu ajoelhando a sedinha na calçada, e num transporte, machucando bem delicioso até, apertou Paulino contra os peitos cheios. E Teresinha chorou porque afinal das contas ela também era muito infeliz. Fernandez dera o fora nela, e a indecisa tinha moçado duma vez. Vendo Paulino sujo, aniquiladinho, sentiu toda a infelicidade própria, e meia que desacostumou de repente da vida enfeitada que andava levando, chorou.

Só depois é que sofreu pelo filho, horroroso de magro e mais frágil que a virtude. Decerto estava sofrendo com a mulatona da avó... Um segundo matutou levar Paulino consigo. Porém, escondendo de si mesma o pensamento, era incontestável que Paulino havia de ser um trambolho pau nas pândegas. Então olhou a roupinha dele. De fazenda boa não era mas enfim sempre servia. Agarrou nesse disfarce que apagava a consciência, "meu filho está bem tratado", pra não pensar mais nele nunca mais. Deu um beijo na boquinha molhada de gosma ainda, procurou engolir a lágrima, "figliuolo", não foi possível, apertou muito, beijou muito. Foi-se embora arranjando o vestido.

Paulino de pezinho, sem um gesto, sem um movimento, viu afinal lá longe o vestido azul desaparecer. Virou o rostinho. Havia um pedaço de papel de embrulho, todo engordurado, rolando engraçado no chão. Dar três passos pra pegá-lo... Nem valia a pena. Sentou de novo no degrau. As cores da tarde iam cinzando mansas. Paulino encostou a bochecha na palminha da mão e meio enxergando, meio escutando, numa indiferença exausta, ficou assim. Até a gosma escorria da boca aberta na mão dele. Depois pingava na camisolinha. Que era escura pra não sujar.

VII

NÍZIA FIGUEIRA, SUA CRIADA

(1925)

Belazarte me contou:

Pois eu acho que tem. Você já sabe que sou cristão... Essas coisas de felicidade e infelicidade não têm significado nenhum, si a gente se compara consigo mesmo. Infelicidade é fenômeno de relação, só mesmo a gente olhando pro vizinho é que diz o "atendite et videte". Macaco, olhe seu rabo! isso sim, me parece o cruzamento da filosofia cristã com a precisão de felicidade neste mundo duro. Inda é bom quando a gente inventa a ilusão da vaidade, e, em vez de falar que é mais desinfeliz, fala que é mais feliz... Toquei em rabo, e estou lembrando o caso do elefante, você sabe?... Pois não vê que um dia o elefante topou com uma penuginha de beija-flor caída numa folha, vai, amarrou a penuginha no rabo com uma corda grossa, e principiou todo passeando na serrapilheira da jungla. Uma elefanta mocetona que já estava carecendo de senhor pra cumprir seu destino, viu o bicho tão bonito, mexe pra cá, mexe pra lá, ondulando feito onda quieta, e se engraçou. Falou assim: "Que elefante mais bonito, porca la miseria"! Pois ele virou pra ela encrespado e: "Dobre a língua, sabe! Elefante não senhora! sou beija-flor". E foi-se. Eis aí um tipo que ao menos soube criar felicidade com uma ilusão sarapintada. É ridículo, é, mas que diabo! nem toda a gente consegue a grandeza de se tomar como referência de si mesmo. Quanto a que lhe suceda como com a Nízia, homem! isso estou imaginando que só com ela mesmo... Que Nízia?

... se chamava... não me lembro bem si Ferreira, Figueira... qualquer coisa em "eira", creio que era Nízia Figueira. Essa sim, de família nacional da gema, carijó irumoguara com Figueira ascendente até o século dezessete.

Quando em 1886, tendo vendido o sítio porcaria perto de Pinda, o pai dela veio pra São Paulo, virou mexeu até que teve coragem de comprar com o dinheiro guardado, esse fiapo de terra baixa, então bem longe da cidade, no hoje bairro da Lapa. Em 88 Nízia com dezesseis anos de mocidade, guardada com olho de Figueira pai sempre em casa, foi com o velho e a criada preta que tinham, morar na chacrinha recém-comprada. Figueira pai, nem bem mudou, deu com o rabo na cerca, por causa dum antraz que o panema dum boticário novato imaginou que era furúnculo. Resultado: antraz tomou conta de Figueira que morreu apodrecido. Dores tamanhas, que si tivesse vizinho perto, não podia dormir de tanto gemido que todo o orgulho daquela carne tradicional não pedia que não saísse, arrancado do coração meio com vergonha até.

Nízia se via só neste mundo, contando apenas dezessete anos e uma inocência ofensiva, bimbalhando estupidez, valha a verdade. Só, mais a "prima Rufina", como ela desde criancinha se acostumara a chamar a criada preta. Prima Rufina tinha vinte e muitos, e era bem enérgica... Plantaram pereira, pessegueiros e uma horta grande. Nízia tricotava, tricotava, fazendo sapatinho, palitozinho, toquinha de lã pros filhos dos outros. Prima Rufina vendia tudo na cidade, couve hoje, pêssego verde pra doce amanhã, trabalhinho de lã todos os dias. Eu sei que chegava muito pra elas viverem e até Nízia guardar um pouco pra velhice.

Prima Rufina saía com o baú na mão, ia na casa dum, na casa doutro, se afreguesou num instante, com tanta lábia... Pera de presente pra filha de dona Maria, bala de açúcar pros filhos de seu Guimarães, saber de seu Quitinho como passou: trazia sempre dinheiro para o sustento. Menos o tostão ficado na venda, está claro, troca da boa pinga de Deus.

Nízia olhava a dinheirama se engrossando, porém não sabia que dinheiro se gasta noutras coisas; e os milréis continuavam empilhados na gavetinha da cômoda. Prima Rufina é que aprendeu a vida... Não contava nada, quieta, preparando a janta, cachimbo no beiço grosso. No entanto bem que aprendeu... Não durou muito se enrabichou por um canhambora safado que vivia ali mesmo, nas barbas da cidade. O filho da mãe abusou dela quanto quis, deixou prima Rufina barriguda e inda por cima desapareceu de repente, levando trinta e seis milreis que pedira de emprestado pra ela. Nízia olhava aquela barriga redondinha que nem arandela, afinal perguntou:

— Uai! nhá Nízia, é doença! estamo trabaia má, barriga empina. A muié de nhô Marconde já me premeteu limão-brabo pra mim, limão-brabo sara eu!

Nízia pensava no antraz do pai e tinha medo.

Barriga, de tanto crescer, teve um dia em que careceu de botar o desgraçadinho pra fora. Prima Rufina veio correndo pra chacra, deixou o baú por aí, nem sabia mais na casa de quem, só portanto na venda pra comprar a garrafa de caninha.

— Olha que tu vais por bom caminho, rapariga!

— Cuide de seus negoçu, viu!

Chegou, fechou-se por dentro no quarto, e o filho veio vindo sem que prima Rufina desse um gemido, tal e qual os animais do mato. Nízia mandava ela preparar a janta. "Não posso! prepare mecê"! ela roncava apertado. Que seria que tinha sucedido pra prima Rufina!... era o antraz, na certa... Nízia teve mortes, do medo de ficar sozinha.

— Mecê se deite, num s'incomode cum eu!

Escutava, quando vinha chamada por aqueles guinchos abafados, que nem choro de criança. Não era choro não, naturalmente prima Rufina que sofria com o antraz... Que havia de fazer? a outra mandava ela deitar, deitou. Perguntou pra escuridão. Não tinha nem guincho mais, no outro quarto. Decerto não era nada. Meio inquieta adormeceu.

Prima Rufina quando viu que não tinha mais vida na casa, se levantou. Pinga já estava toda no lugar do tiziu saído e sonhando na capa de xadrez. Carecia de coragem. Pois foi no guarda-comida buscar o espírito do vinho e mamou na garrafa mesmo. Enrolou bem a criancinha e saiu, saiu sim! De vez em quando sentava no caminho, suor correndo bica de dor, vista feito vidraça de neblina... Não era madrugada ainda, a preta já não tinha mais filho no braço. Dinheiro? não vê que se esquecera de trazer! primeira venda entreaberta, pronto: entrou. Foi um pifão daqueles. Só dia velho, empurrou a porta da casa, rindo boba, com os olhos derretidos num choro sem querer, cantando o "Nossa gente já tá livre, toca zumba zumba zumba"... Nízia até chorou de susto pensando que prima Rufina estava maluca, que maluca nada! era mas era a desgraça, saindo de mistura com bebida.

Prima Rufina ficou doente uns dias. Depois sarou e aprendeu. Quando tinha vontade, ia nas vendas procurando homem disposto. Porém não sei como fazia, sei que nunca mais teve antraz. E foi desde aquela noite que ela pegou chamando Nízia de "mia fia".

Nízia, vinte, vinte e um, vinte e dois anos, continuava esquecida naquela chacrinha sem norte. Não tinha nada de feia, principiou se enfeitando, foi na cidade algumas vezes... Ficava no portão parada, sempre de hora em hora alguém havia de passar... Passava, porém mal reparava em Nízia.

Pois até, uma feita, ela foi numa loja concorrida da cidade, se encostou no balcão esperando. Os caixeiros passavam serviam todo mundo, pois não é que esqueceram de servir Nízia! esqueceram, meu caro! não estou fantasiando não! Então ela chamou um e pediu entremeio.

— Sim, senhora, já trago.

Outro pediu que ele endireitasse a pilha de chita quase caindo, começou a endireitar, endireitou, não sei quem pediu entremeio pra ele, serviu a outra freguesa e esqueceu Nízia. Ela ficou ali muito serena, esperando. Quando viu que entremeio não vinha mesmo, desolada foi-se embora. E prima Rufina continuou comprando tudo quanto Nízia precisava.

Desejos, não posso dizer que não tivesse desejos, teve. Olhava os homens passando, alguns eram bem simpáticos, havia de ser bom com eles... Mas iam tão distraídos na rua republicana já!... Nízia voltava murcha pra dentro, sempre matutando que havia de ser bom com eles. Porém isso era fogo de palha, sapatinho de lã toma atenção sinão a gente erra o número dos pontos. Que-dê tempo pra imaginar nos homens?...

O que cresceu foi a intimidade com prima Rufina principiaram conversando mais. Nízia inventava curiosidades depois do jantar, ali sentadas na varanda: a filha de nhô Guimarães enfim tinha casado com o moço médico; o caso da mulher que matou o marido na rua Major Quedinho, e assim. Então quando teve aquela dor de dente, por causa duns limões verdes que andou chupando e comeram o esmalte dum canino, prima Rufina fez ela beber um trago importante de cachaça. Nízia quase morreu de angústia, ficou tonta, lançou que foi um horror. Prima Rufina sempre junto dela, consolando, limpando a blusa suja, deitando a bêbeda com tanto carinho... A dor de dente passou, isso é que eu sei. E a intimidade entre as duas aumentou muito. Nunca mais Nízia bebeu, mas a outra contava as razões da pinga, e Nízia acabou sabendo as tristezas do nosso mundo.

Teve um momento em que a humanidade pareceu se lembrar dessa apartada, foi com seu Lemos o caso. Seu Lemos era fluminense não sei donde, meio pálido, com bigodinho torcido e cabelo crespo repartido do lado. Vinha pela estrada, sem custo carregando o corpo baixote, saber duas, três vezes por semana o protetor como passou, lá num sítio enorme que ficava mais ou menos onde é o bairro do Anastácio agora. Assim também o graúdo, que já dera pistolão pra ele entrar como carteiro do Correio nem bem chegandinho do Estado do Rio, não se esquecia de arranjar coisa milhor. Homem... será mesmo que seu Lemos queria coisa milhor?... Indivíduo macio, fala rara, não olhando. Sentava, ficava ali um boa meia hora, respondendo si perguntavam, que ele ia bem, que mamãe ia passando bem, que o serviço ia muito bem... tudo ia bem pra seu Lemos! Depois pegava no chapéu, ia-se embora pra casinha, alugada debaixo do viaduto do Chá.

— Sua bênção, mamãe.
— Como vai seu Anastácio?
— Bem.

Comiam. Estou pensando que foi esse Anastácio que decerto deu nome ao bairro, não?... Depois seu Lemos ia palitar o dente na janela baixa. A noite vinha descendo, tapando o Anhangabaú com uma escureza solitária. Os quintais molhados do vale, botavam uma paininha de névoa sobre o corpo e ficavam bem quietinhos pra esquentar. Era um silêncio!...Poc, pocpoc... Alguém passando no viaduto. Sapo que era uma quantidade. Luzinha aqui, luzinha ali, mais sapo querendo assustar o silêncio, qual o quê! silêncio matava São Paulo cedinho, não eram nem nove horas. Seu Lemos não tinha mais no que imaginar. Ia direito botar o restico de palito mastigado no lixo, fazia o nome do padre e caía na cama já dormindo.

A mãe inda ficava rezando, uns pares de horas, pra cada santo esquisito que ela escarafunchava lá de quanta alcova tem o Paraíso. Santo Anastácio mártir; novena de S. Nicolau; oração pra evitar mordedura de cobra; oração pra evitar esbarro de estômago; oito cre'm-dos-padres pra não pegar fogo na cidade. Acabava rezando a missa das almas do outro mundo, de que ela tinha um bruto dum pavor. Vela também se acabava. Era um despesão de vela naquela casa, porém São Paulo nunca pegou fogo, ninguém não teve esbarro de estômago na família, e seu Lemos nunca foi mordido de cobra quando ia na rua do Carmo, rua de Santa Teresa, por ali, entregando carta.

Filho bom ele não era não... Respeitar a mãe, respeitava nisso da gente tomar a bênção, não fumar na frente dela, falar bom-dia, boa-noite, levar ela ver Senhor Morto na noite de Sexta-Feira Santa. Mas a pobre que cozinhava, inda lavava e engomava toda a roupa do filho etc. Nem conversa. Aliás seu Lemos não conversava mesmo com ninguém. E quando a mãe morreu de repente, o que sentiu foi o vazio inquieto de quem nunca lidara com pensão nem lavadeira.

E foi então que, palitando dente na janela, ele afinal principiou reparando naquela moça do portão. No dia seguinte, francamente, foi até lá só pra ver si tinha mesmo moça no portão daquela chacra. Nízia estava lá meio lânguida, mui mansa, não pedindo nada, só por costume duma esquecida que não esperava mais ninguém.

Quando palitou de novo à barulhada dos sapos nessa noite, seu Lemos começou a pensar que ali estava uma moça boa pra casar com ele. Não refletiu, não comparou, não julgou, não resolveu nem nada, seu Lemos pensava por decretos espaçados. Pois um decreto apareceu em letras vagarentas no bestunto dele: Ali está uma moça boa pra casar com você. Na palitação do dia seguinte, estava escrito na cabeça dele: Você vai casar com a moça do portão. Então seu Lemos foi visitar o Anastácio e, passando, cumprimentou a moça do portão. Nízia estava já tão esquecida de si mesma que nem se assustou com o cumprimento, respondeu. Seu Lemos, que não via razão pra visita todo dia na chácara de padrinho, passava, cumprimentava, andava mais meio quilômetro pra disfarçar, ficava por ali dando com o pé na tiririca poeirenta, olhava qualquer pé de agarra-compadre do caminho, voltava, e cumprimentava de novo, rumo do Anhangabaú.

Depois de mês e meio de tanto bate pernas, seu Lemos palitando soletrou o decreto novo aparecido de repente na cachola: Amanhã é domingo pé de cachimbo, e você vai pedir a mão da moça da chácara. Note bem a graça desses decretos: de primeiro só falavam em moça do portão, mas agora vinham falando em moça da chacra, mais útil pra casar.

Ali pelo meio-dia prima Rufina muito espavorida veio ver quem que estava batendo, era seu Lemos. Prima Rufina quase que dá o suíte no indivíduo, mas enfim dona Nízia havia de saber o que era aquilo. Decerto encomenda...

— Mecê entre!

Seu Lemos não esperou nem dois minutos no copiar, veio Nízia, assim como estava, com o trabalhinho no colo. Ele falou que vinha pedir a mão dela em casamento, ela respondeu que estava bom. Foi lá dentro dizer que prima Rufina preparasse também uns bolinhos pro café e voltou. Entraram na varanda. Nízia continuando o sapatinho principiado.

— Como é a sua graça?

Olhou pra ele espantada, perguntar como era a graça dela... decerto que ela é que não sabia! Seu Lemos esclareceu:

— Me chamo Lemos, José Lemos, seu criado. Queria também saber o nome da senhora.

— Nízia Figueira, sua criada.

— Sim senhora.

Seu Lemos parou de brincar com os dedos em cima das pernas.

— A senhora gosta muito de fazer sapatinho, dona Nízia?

— Já estou muito acostumada.

— Muito bonito esse que a senhora está fazendo, é presente?

— Não senhor, eu vendo.

— Ahn...

— Quantos eu faço, prima Rufina vende nas casas.

— Sei... Quem é prima Rufina? Seu Lemos recomeçou brincando com os dedos em cima das pernas.

— A preta que recolheu o senhor.

— Ahn... mas ela não é prima da senhora, não?

— É minha criada. Me acostumei chamando ela de prima Rufina desde criança. E ficou.

— Engraçado.

Trinte e seis, trinta e nove, quarenta e oito, pronto, acabava mais uma carreira.

— Está um dia bonito hoje, não?

— Está mesmo.

— Que sol mais claro, não?

— Quem sabe si está incomodando o senhor! eu fecho a janela...

— Não senhora, até nem me incomoda.

Veio o café com leite e bolinhos. Tomaram café com leite e comeram dois bolinhos cada um. Fazia uma tarde sublime lá fora, claro, claro, com o sol quente jiboiando sobre os campos. E por esse instinto de domingo que a natureza parece ter, aquela baixada estava num sossego imenso, tomava um ar de repouso largado, voluptuosamente largado, esparramado no chão. Eles ficaram ali fechados naquela sala de jantar, seu Lemos palitava, Nízia tricotava, até que enxergaram os primeiros ruivores passarem longe no horizonte, entardecendo o dia.

— Bom, já vou indo.

Então Nízia percebeu a ventura inconcebível que lhe trazia aquele seu Lemos. Olhou. Viu na frente o bigode e o topete simpático, sorriu pra eles. O vestido de cassa recortava as redondezas do corpo dela, feito como era costume naquele tempo, quase gordo, mais gordo que magro, peitos enchumaçados, pernas grossas, curtas, mãos parando no meio. Na cara, os olhos castanhos embaçavam o rubor liso que vinha empalidecendo até um queixo feito barrete frígio. Nariz simples, com as narinas quase grandes, ondulando nas mesmas curvas dos bandós castanhos. A boca sorrindo era pálida, com dentes cerrados e monótonos. Falou um "Já vai" meio pergunta, meio aceitação, duma calma dominical.

— Já vou sim, dona Nízia, são horas. Tive muito prazer em conhecê-la.

Inquietação antiga desmanchou a cara dela:

— E o senhor volta!

— Volto. Não volto sempre porque creio que vou mudar de emprego, trabalho no Correio, é. Meu padrinho parece que vai arranjar qualquer coisa pra mim na Secretaria do Tesouro, mas volto. Passe bem.

Ela entregou-lhe a mão e a vida:

— Passe bem.

Acompanhou-o até o portão. Ficou ali, enquanto ele partiu pelo caminho ruim. Tomando a estrada larga, seu Lemos nem se voltou pra dizer outro adeus. Nízia entrou. Andava meio sem serviço pela casa.

— Essas toalhinhas de crochê estão carecendo lavar, prima Rufina.

— Antão num lavei elas na semana retrasada mêmo!

— Mas olhe como estão!

— Num inxergo nada não, porém mecê qué eu lavo! Tou vendo mas é que seu Lemes veio atrapaiá tuda a vida nesta casa! Mecê inté parece que nem num sabe adonde assentá! cadera num farta! Sente, fique sussegada que é mió!

— Você não gostou de eu ficar noiva, é?

— Até que gostei bem. Mecê carece dum home nesta casa que lhe proteja mas porém ansim! premero que aparece, vai ficando noiva! nem num sabe si seu Lemes quem é, arre credo! Será que anda de bem cum os puliça! isso é que num posso assigurá pra mecê!

— Como você está braba comigo, prima Rufina! ele é empregado no Correio!

— Isso antão é emprego que se tenha! Gente boa num carece di andá iscrevendo carta não! veve que nem nóis mêmo, bem assussegado no seu canto! Mia fia, vassuncê num cunhece nada desse mundo, mundo é mais ruim que bão... Essa história di sê impregado no Correio, num mi parece que seja coisa dereita não, infim...

Foram deitar. A felicidade de Nízia fizera dela uma desgraçada. Do passado e esquecimento de dantes não se lembrava, mas agora é que fazia ela sofrer. Noivo, seu Lemos achou que não carecia mais de passar todo santo dia pela casa tão longe da noiva, tarde veio e seu Lemos não veio. Nízia vivia num deslumbramento simultâneo de felicidade e amargura. Que amasse não digo, mas tinha alguém que se lembrara da existência dela. Isso lhe dava um gosto inquieto, gosto de comparação, gosto de mais de um, não sei si explico bem. De repente ficara desgraçada. "Vem amanhã", murmurejou sofrendo de prazer. E repetiu "Vem amanhã" até na quinta-feira.

Seu Lemos chegou não eram bem seis horas, jantado. Entregou pra ela o brochinho de ouro escrito LEMBRANÇA.

— Muito obrigado, seu Lemos.

— A senhora tem passado bem?

Etc.

Ficou lá até oito, creio. Nízia trabalhando, sob o lampião de querosene, ele assuntando as assombrações do teto. Falavam de vez em quando aquelas frases de companheiro que não esperam resposta, só pra reconhecimento de existência junta, um pouco de Correio, um pouco de trabalhinho de lã. Prima Rufina pitando na cozinha. Seu Lemos afirmou que voltava no domingo e então haviam de combinar o casório.

Não veio no domingo, veio na terça-feira. Que andara muito atrapalhado por causa duma visita que fora obrigado a fazer. Depois tivera de levar uma carta do tal pra um graúdo, estava quase arranjado o lugar na Secretaria. Trazia aquela meia dúzia de lencinhos, desculpasse. Nízia foi lá dentro e voltou, feliz duma vez, com o cachenê feito por ela na mão.

Seu Lemos agradeceu e achou que estava muito bonito. Estava. Era pardo, todo com listas pretas, barra de lã com seda. Seu Lemos levou uma semana sem aparecer. Só na outra terça-feira estourou na chacrinha, muito afobado, apenas tivera tempo pra arranjar aquelas cravinas, de tão atrapalhado que andava, desculpasse. Saíra a nomeação, e no dia seguinte tomava posse.

— Custou mas enfim!...

— Quem espera sempre alcança.

— É mesmo, mas custou. Já ia desanimado.

Seu Lemos estava mais tagarela. Nesse dia sapatinho de lã não entrou na conversa, era só serviço ruim do Correio, serviço bom da Secretaria, ordenado bem milhor, seu Chefe de seção, "me disseram" e outras coisas nessa toada.

Nízia escutando. As palavras caíam dentro dela talqualmente flor de paina, roseando a alma devagar. Foi-se embora mais cedo? Não fazia mal! Nem soube que eram nove horas, que eram dez e muito mais, ficou sozinha no trabalho, sem saber que trabalhava, acabando carreira numa conta, acabando sapatinho, acabando outro sapatinho, escutando. Não tinha nem bulha na noite fora. Os homens estavam dormindo em São Paulo. Nem poeira nem grilo nem vento, que nada! um silêncio de matar gesto do braço. Nízia tricotando sem saber. A luz do lampião mariposava em volta da cabeça dela e, no calor seco da sala, as palavras de seu Lemos se pronunciavam ainda, sonorosas de verdade, como afago doce de companheiro. Nízia sofreu que você não imagina. Sofreu aquele sapatinho de lã; sofreu por causa de prima

Rufina que estava envelhecendo muito depressa; sofreu aqueles vestidos de cassa eternamente os mesmos, carecia fazer outros; as toalhinhas de crochê não ficaram bem lavadas; ela era um poucadinho bem mais gorda que seu Lemos; também prima Rufina nunca trouxera uns pés de cravina pra plantar no jardim! flor tão bonita...

Todas essas infelicidades que nunca sentira, e que doem tanto pra quem não pode ter outras: era a voz de seu Lemos que trazia, pondo como espelho diante dela, o corpo do companheiro. Foi pro quarto e pela primeira vez depois do antraz da preta, não dormiu logo. Pensar não pensou, era também do gênero dos decretos. Como decreto não vinha, ficou espalhada na escuridão, sentindo apenas que vivia, feliz, encostada na vida do companheiro.

Seu Lemos levou duas semanas sem aparecer.

— Puis é! si mecê já tivesse priguntado pra ele adonde que ele mora, eu ia inté lá sabê si é duença...

Numa quarta-feira seu Lemos apareceu. Vinha com barba por fazer e de mãos vazias, puxa! que serviceira! estava arrependido. Depois, tanta responsabilidade!... Entregar carta, a gente entrega e pronto, agora? escreve número aqui, escreve número noutra parte, e não se pode errar porque livro de Secretaria não é coisa que a gente ande rabiscando nem raspando. Depois: ainda não estava bem enfronhado do serviço que barafunda! nunca imaginei que fosse tão difícil!...

O engraçado é que ali mesmo, diante de Nízia, sem se lembrar dela, seu Lemos estava lendo os decretos da cabeça.

E não pense que lia todos em voz alta que nem estou fazendo, não! Parava de falar às vezes, e lia só consigo. E que diferença agora a cabeça de seu Lemos! Antigamente era um vazio grande sem nada, só de três em cinco palitações um decretinho curto. Agora? era ver página do Correio Paulistano, "que barafunda!", como ele dizia... Foi-se embora remoendo decreto sem parada.

Nízia ficou na porta, metade do corpo na noite, metade dentro de casa, partida pelo meio. Bem sentiu que seu Lemos, coitado! não era por querer, porém, estava escapando dela. Voltou pra dentro, e custava se lembrar do que seu Lemos falara. Quis sossegar-se, coitado! tanta ocupação... Sossegou-se, mas num sossego sozinho, de morte e desagregação. Quando ficou bem só, não sofreu mais, dormiu.

Seu Lemos só apareceu vinte dias depois, vinha magro, passando. Viu Nízia no portão, parou pra saudar. Tinha que ir ver o protetor, por causa duma embrulhada que sucedera lá na repartição. Ela meio que ficou até espantada com a figura do estrangeiro. Teve uma dor horrível.

— Na volta o senhor entra sempre, seu Lemos!

— Pra falar verdade, dona Nízia, não sei si posso parar, si puder, paro. Mas não se incomode por minha causa não. Passe bem.

— Passe bem.

Seu Lemos tinha revivido nela uma infelicidade pesada. Mas não desejou que seu Lemos não voltasse, como seria milhor pra ela e foi. Seu Lemos não voltou. Padrinho deu o estrilo com ele por causa da tal encrenca, seu Lemos zangou com o padrinho, seu Lemos saiu da Secretaria, seu Lemos banzou sem decretos uma porção de dias, seu Lemos arranjou emprego numa loja de fazendas... O coitado não queria riqueza, queria era sossego. Arranjou uma mulata gorda pra cozinhar, dormiu uma noite no quarto da Sebastiana e depois todas as noites a Sebastiana no quarto dele, que era mais espaçoso. Sebastiana cozinhava, porém não era cozinheira mais: dona de casa, sempre querendo chinela nova no pé cor de sapota.

Nízia... Teve um homem que veio morar bem perto da chacrinha dela. Não durou muito uma família vizinhou com o tal. E aos poucos foi se fazendo a rua Guaicurus, foi se fazendo mais um bairro dessa cidade ilustre. Uns se davam com os outros; uns não se davam com os outros; ninguém não se dava com Nízia; prima Rufina se dava com todos. Nízia serenamente continuava, esquecida do mundo.

Deu mas foi pra beber. Banzando pela casa, quis matar uma barata e encontrou debaixo da cama de prima Rufina, a garrafa que servia pra de noite. Roubou um pouco por curiosidade. Muito pouquinho, com vergonha da outra. A primeira sensação é ruim, porém o calor que vem depois é bom.

Não levou nem mês, prima Rufina percebeu. Não falou nada, só que trouxe um garrafão de pinga, e principiaram bebendo juntas, cada mona!... Não digo que fosse todo dia pelo contrário. Nízia trabalhava, prima Rufina vendia, sempre as mesmas. Trintonas, quarentonas, isto é, prima Rufina, sempre muito mais velha que a outra. Dera pra envelhecer rápido, essa sim, uma coitada que não o mundo, porém a vida esquecera, quase senil, arrastando corpo sofrido, cada nó destamanho no tornozelo, por causa do artritismo. Quando a dor era demais, lá vinha o garrafão pesado:

— Mecê também qué, mia fia?

— Me dá um bocadinho pra esquentar.

— Puis é, mia fia, beba memo! Mundo tá ruim, cachaça dexa mundo bunito pra nóis.

Era dia de bebedeira. Prima Rufina dava pra falar e chorar alto. Nízia bebia devagar, serenamente. Não perdia a calma, nem os traços se descompunham. A boca ficava mais aberta um pouco, e vinha uma filigrana vermelha debruar a fímbria das narinas e dos olhos embaçados. Punha a mão na cabeça e o bandó do lado esquerdo se arrepiava. Ficava na cadeira, meio recurvada, com as mãos nos joelhos, balanceando o corpo instável, olhar fixo numa visão fora do mundo. Prima Rufina, se encostando em quanta parede achava, dando embigada nos móveis, puxava Nízia. Nízia se erguia, agarrava o garrafão em meio, e as duas, se encostando uma na outra, iam pro quarto.

Prima Rufina quase que deixou cair a companheira. Rolou na cama, boba duma vez, chorando, perna pendente, um dos pés arrastando no assoalho. Nízia sentava no chão e recostava a cabeça na perna de prima Rufina. Bebia. Dava de beber pra outra. Prima Rufina punha a mão sem tato na cabeça de Nízia e consolava a serena:

— é isso memo, mia fia... num chore mais não! A gente toma pifão dá gosto e bota disgraça pra fora... Mecê pensa que pifão num é bom... é bão sim! pifão... pifãozinho... pra esquentá desgraça desse mundo duro... O fio de mecê num sei que-dele ele não. Fio de mecê deve de andá pur aí rapaiz, dicerto home feito... dicerto mecê já isbarrô cum ele, mecê num cunheceu seu fio, seu fio num cunheceu mecê... Num chore mais ansim não!... Pifão faiz mecê esquecê seu fio, pifão... pifão... pifãozinho...

Nízia piscava olhos secos, embaçados, entredormindo. Escorregava. Ia babar num beijo mole sobre o pezão de prima Rufina. Esta queria passar a mão na outra pra consolar, vinha até a borda da cama e caía sobre Nízia, as duas se misturando num corpo só. Garrafão, largado, rolava um pouco, parava no meio do quarto. Prima Rufina inda se mexia, incomodando Nízia. Acabava se aconchegando entre as pernas desta e fazendo daquela barriga estufada um cabeceiro cômodo. Falava "pifão" não sei quantas vezes e dormia. Dormia com o corpo todo engruvinhado de tanta vida que passara nele, gasta, olhos entreabertos, chorando.

Nízia ficava piscando, piscando devagar, mansamente. Que calma no quarto sem voz, na casa... Que calma na terra inexistente pra ela... Piscava mais. Os cabelos meio soltos se confundiam com o assoalho na escureza da noitinha. Mas inda restava bastante luz na terra, pra riscar sobre o chão aquele rosto claro. Muito sereno, um reflexo leve de baba no queixo, rubor mais acentuado na face conservada, sem uma ruga, bonita. Os beiços entreabriam pro suspiro de sono sair. Adormecida calma, sem nenhum sonho e sem gestos.

Nízia era muito feliz.

PREFÁCIO INÉDITO

Uma perturbadora intoxicação de vaidade causada por alguns acontecimentos que desde início de 1930 me predispuseram a acreditar excessivamente em mim, me fizeram retardar, pra não dizer abandonar a publicação deste livro. E mais do que isso, causaram em mim uma crise dolorosa que, bem-ajuizada agora, não foi mais que o desequilíbrio entre aquela vaidade e minhas forças pessoais. Crise que tive o bom senso de conservar dentro comigo e aguentar sozinho, foram certamente horríveis os furores românticos, sim, românticos que me fizeram sofrer. Andei mais ou menos extraviado, atirado num sacolejante jogo de empurra dos mais extremos requintes de aristocracismo espiritual pros mais decididos aspectos do Comunismo. Mas tudo isso não era eu nem posso ser. A precisão de inteligência, auxiliada por um retorno a melhor saúde física, me repôs na minha querência legítima e aqui estou, retomando o azulejo deixado em meio.

Na verdade a significação única da minha obra é inteiramente nacional. O pouco de internacionalismo, ou melhor, de universalidade que possa ter um Macunaíma por exemplo, são ou reflexos indispensáveis do mundo sobre mim, ou ilações naturais do menor pro maior, pois que todo o nacional participa do humano. Mas a minha obra tem de ser uma obra de nacionalidade, está visto: sem nenhum dos aspectos hediondos por onde o nacional mal compreendido e apaixonado empecilha a marcha do mundo. Nem é propriamente com o designativo "nacional" que me devo achincalhar, porque eu detesto o Brasilnação, detesto as pátrias como conceito político. Tristão de Ataíde observou algures que eu tinha uma singular incapacidade em compreender e viver a noção política da pátria. É verdade que não tem pessoa mais infensa à política do que eu, mas não é exato que eu não tenha vivido em mim a noção política da pátria. Só que já a ultrapassei. A significação básica, destinada, primária e interessada das minhas obras é a procura do racial. Minha obra não é nacionalizante, é racializante. Obedeço às coordenações geográficas da vida e desprezo às vaidades políticas e imperialistas da inteligência. Materialismo, não. Realismo.

Depois que escrevi o poema herói-cômico de Macunaíma e o li, meu desespero foi enorme ante a obra-prima que falhou. O filão era de obra-prima porém o faiscador servia só pra cavar uns brilhantinhos de merda. Apesar de toda a minha honestidade não servi pra enriquecer ninguém. E aos mais coitados assanhei. Alguns me compreenderam; e os que me atacaram ou puderam estimar na minha obra o que havia nela de estimável, me fizeram bem. Não renego o meu melhor livro. Mas o odeio. Ele representará pra mim sempre, não sei que explosão de Guido Reni, bangalô de aluguel, e uma amargura que maior não posso imaginar. Foi o único proveito que me deu. Porém renegá-lo é impossível com esta boca cheia de saudades e bons dentes, eu completado de esperanças e remorsos difíceis de precisar, mas que só dele me vêm.

Então figurei bem esta resolução que pouco a pouco e sem escândalo, vou realizando. Já agora me vou quase *off-side*, e a vida se tornou um excelente campo de batatas. Fui plantar batatas, com metáfora e sem ela. As batatas úteis eu tenho desejo que deem de comer pra certas maiúsculas terrestres. As inúteis me pertencem. Por elas que ninguém me amole porque não amolo mais ninguém. Meus livros de mim, editados por mim, nem pra crítica os mando mais. Não é sinal de desprezo, é consciência da inutilidade mais dela que minha, no estado em que ela agora está. Ou estamos, se quiserem...

O que fica de mais bonito em mim, e tenho de mais odiável, é o trabalho diário, a atividade em prol de alguma coisa. Jamais esse trabalho foi em proveito meu e isso é irritante, eu sei. Pratiquei, continuarei a praticar muitíssimas mentiras e extorsões. Desperdicei e desperdiçarei meus elogios e ataques com aquela mesma experiência com que o provérbio inglês afirma que da lama atirada, alguma fica sempre. Não atiro lama, questão de metro e muito de altura e esta lealdade que detesta romantismo e outros jogos de azar. Mas atiro elogios e ataques. Pelas pessoas? Mando todo mundo, um por um, àquela parte. E eu também. Se atiro é pelo que isso possa ter dum humano valor. Ah, sacrifícios que nada poderá pagar... Uma consciência lâmina cortando, cortando sem parada a gente pelo meio... E à gente se grudando a cola-tudo, ilusão, guspe, a grampo, num desejo em desespero de se conservar íntegro e forte... Nem forte, nem íntegro, rapazes, a ilusão é insuficiente.

Mas era preciso que alguém deitasse falação *about* Cendrars chegando, era eu.

Comigo eu pensava sorumbático: Musicologia brasileira não há. Fiat lux! Klaxon era revista moderna, portanto: crítica de cinema sem cavação e vez primeira.

Ora o que que eu tenho com Di Cavalcanti ou Vítor Brecheret? Nada, a não ser gostar de. Eu não sou brasileiro! eu não sou cinemático! Sou um dançarino mirífico esfolhado pelo vendaval. Meu braço esquerdo, tubarão comeu. Minha preguiça caiu na praia do Madeira e ficou lá naquela tarde cor-de-rosa que nem sei. Meu desejo ficou no Nordeste e se Deus me der dinheiro é lá que hei-de morrer.

> "Vôm'imbora, vôm'imbora
> Pá Paraíba do Norte!
> Olê rosêra!"

Olê Lioné, cadê o resto? O resto paira nesses mundos surcando o vendaval.

Uma vez, faz muitos anos, encontrei com um sujeito de madrugada. Por mais que me lembre dele, e o tenho completinho na memória, é impossível negar que ele tivesse três orelhas. Duas ouviam e a terceira se movia ora num, ora noutro lugar. Essa terceira orelha movente, que nunca mais pude achar em ninguém e não é símbolo de nada, me impressionou demais porque era a prova de que eu carecia pra perceber que o corpo humano anda muitíssimo errado.

Corpo humano espacial, eis o que não entendo. O corpo humano é temporal, só temporal; e a só coisa que lhe concederia de espacial era um braço, braço, antebraço e mão de polaca, bem nutridos e flácidos, irrompendo da testa feito um corno de todas as nossas ambições, desejos e necessidades individuais.

Porque isso é que o homem é, para vingança do meu campo de batatas.

Enfim, seu Serafim, foi isso o que se deu. O que sofri por dentro não se conta. O que banquei por fora não interessa contar. Vale mais o respeito pragmático pelas aventuras humanas. Isso é que faz-me publicar este livro dos dias passados da experiência brasileirista.

Quando fiz estes contos, a maioria no tempo em que Elísio de Carvalho sustentava a América Brasileira, e pra ela destinados, o momento pra mim era de exercícios de estilo. Isso quanto a exterior. Nem bem principiado o primeiro conto, o leitor verá, lembrando este Prefácio, que esse tempo até pra mim já passou já. Hoje o que eu sonho é um dicionário de 50 palavras, com todos os milhares de outras esperando o momento de estourar. Se o momento não vier que não estourem nunca e fiquem esperando outro escritor.

Se o livro fosse apenas meu, não deixava ele sair como sai. Mudava-lhe inteirinha a dicção. Mas é de Belazarte em principal, não meu. E solilóquio, justifica-se que fale como o livro está.

Há os que acham que a gente pode modificar à vontade os calungas que inventa. Começo por não aceitar a "invenção" dos calungas. São o que são mais por eles que por nós. Possuem evidência tão sensível que mudar-lhes um gesto ou maneira de ser é tornar-se hipócrita pra com uma realidade que se torna hipócrita. Não faço. Aliás basta frequentar um bocado estas páginas pra ver que Belazarte não sou eu. Terá muito de mim como filho, é verdade, mas tem imensas variações de estranhos cromossomos. Se não respeito os cromossomos, reconheço que são mais poderosos que eu. Da mesma forma com que desprezando a Medicina, sempre achei irrecusável uma operação de apendicite. Por isso tudo Belazarte existe e estes "meus" contos ele é que os contou.

Mas não acreditem que eu seja tão forte como este Prefácio me indica, não sou mais. Acabo de reler o que escrevi, fico espantado, não sou eu! Isto é: sou eu, mas o que foi tamanha decisão assim? Justamente agora em que até a ideia de suicídio virou mosca... Não. Prefiro um som de saxofone que me volte aos meus desertos de tocaia. O medo é que esse saxofone seja de reminiscências orquestrais... Foi desespero, desespero só. Mas agora procuro em vão uma tristeza, algum abatimento pra encerrar com justiça este Prefácio. Não acho.

Vou dar um giro e na volta acabarei.

Agora sim: estou salutarmente fatigado e bem-disposto. Sinto-me feliz e posso continuar mais triste.

Eu estava falando nestes contos... Não sei o que eles valem e a distância vasta que me separa deles não me permite mais aquele ardor com que o artista se ilude sobre o que faz no momento. Porém gosto deles principalmente porque abrem com modéstia um rumo novo pra mim.

Se esteticamente Macunaíma foi bem o ponto de chegada da minha experiência brasileirista, espiritualmente era pra mim um beco sem saída. Se não é possível em mim sequer uma esperança de mudar meu pessimismo neste país desgraçado em que cada mocidade é um monturo nojento de fraquezas, ignorâncias, complacências e ambições paupérrimas, é por vias mais humanas que terei de cantar a elegia do caráter morimbudo e a imundície de tudo quanto somos.

Belazarte é um bom começo. Tem piedade dos seres reais, que não tenho. E não sabe conceber o que seja a felicidade. Quando a busca não acha ou a supõe nos bêbados. É uma limitação amarga e insuportável.

Mas por ele recomeçam de novo em mim vivendo os seres reais. Não me interessam mais assombrações. É um mundo fácil em que o espírito cria como quer com suas mortíferas preguiças. Vagamente eu já pressentira isso quando ao principiar Macunaíma, de que faria, eu pensava, um puro joguete livre em que meu ser em férias se desfatigasse do mundo, fui logo botando nele intençõezinhas, imagens, alusões que o tornaram a caricatura dolorida que é.

Oh! esse vácuo abominando entre aquilo que existe e a sua imagem, na certa é o único empecilho que nos impede de aferrar com nitidez a realidade!

Espero que este livro seja detestado. Isso não prova que ele seja bom, mas me liberta. O maior castigo do artista é ser gostado. Não lhe dá amigos, lhe dá muitos companheiros. Os outros principiam compreendê-lo excessivamente e não tem nada que deforme e suje mais uma entidade que a excessiva compreensão dos outros.

É verdade que muito eu já tenho recomeçado... Só que nunca me veio uma sensação tão livre de recomeço. E este deserto é que ambiciono mais, meus saxofones. Porém meu medo, meu receio tristonho, é que os meus saxofones sejam tão somente umas reminiscências orquestrais...

MÁRIO DE ANDRADE

São Paulo, 2 de maio de 1930 [1931]

**CONFIRA NOSSOS
LANÇAMENTOS AQUI!**

ITATIAIA